前述のソーラーカーだけではない。

ＮＨＫが主催するロボットコンテストの学生ロボコンへの出場を目指して、ロボットを手作りしている学生もいる。

読売テレビが主催する鳥人間コンテストに参加するために、人力飛行機を作って空を飛んでいる学生もいる。

大学生によるＦ１レースともいえる、全日本学生フォーミュラ大会に出場するため、レーシングカーを製作する学生もいる。

そのほか、ロケットを作り空へ向けて飛ばす学生、学内の建物を設計デザインして建築する学生、ミツバチを育ててはちみつを採取する学生など、理系学生の青春がそこにある。


この本は工学院大学を通して、あまり知られていない理系大学の日常を紹介するものだ。

一般に、文系と理系の比率は7対3だといわれている。

文系の人数が多いためか、理系の学問やそれを専門に学んだ人に対して、無理解や無関心がまかりとおることがある。

テレビドラマなどで科学者が変人っぽく描かれるのはその一つだ。

あるいは、ソーラーカーの世界大会を知っていた人はどれくらいいるだろうか。

２０１５年の国連サミットで採択されたＳＤＧｓ（持続可能な開発目標）の一つである

「エネルギーをみんなに。そしてクリーンに」に大きく貢献するソーラーカーは、次世代産業として大きく期待されているが、ソーラーカーの大会については知られていない。

この本は、文系と理系の橋渡しをするべく、文系のライターが理系大学の学生や教授に話を聞いて回ったものだ。

理系の学問なくして世の中の発展はない。

世界を変える可能性を秘める理系学生たちが、どのような活動をしているのか——。この本が、彼らの思いを伝える一助になれば幸いだ。

目次

Project 1

独創的な車体を欲しがった富豪が「好きな値段を書いてくれ」と白紙の小切手を渡してきた！

――オーストラリア縦断耐久レースに挑む「工学院大学ソーラーチーム」

Project
2

やっぱり車は馬力があって速くてうるさいほうがカッコいい!
――エンジン以外すべて自作のフォーミュラカーに夢を乗せる「工学院レーシングチーム」

Project

3

大気圏を突破して、会いに行きたいのは火星人!?
——宇宙開発の礎を築く「モデルロケットプロジェクト」

Project

4

空の飛び方は〝鳥センパイ〟が教えてくれました
——「鳥人間コンテスト」に挑む「Birdman Project Wendy」

Project
5
実はロボットと同棲しています!
――ロボコン優勝は射程圏内、KRP(工学院大学ロボットプロジェクト)

Project
6
年齢差を超えて商店街の中心メンバーと仲間に
――地域住民と一緒に町を活性化させる3つのプロジェクト

Project 7

ミツバチが尊過ぎて、頬ずりしちゃっています！
――はちみつのさまざまな活用を模索する「みつばちプロジェクト」

Project 1

独創的な車体を欲しがった富豪が「好きな値段を書いてくれ」と白紙の小切手を渡してきた!

――オーストラリア縦断耐久レースに挑む「工学院大学ソーラーチーム」

●大学公認！ 13の「学生プロジェクト」

2020年8月某日、私は工学院大学新宿キャンパスのだだっ広い会議室で、大学理事の方から相談を受けていた。

「工学院大学の魅力を書籍で発信したいんです」

「なるほど。魅力といってもいろいろあると思うのですが、特に有名なのは何ですか？」

答えはすぐに返ってきた。「ソーラーカーですね」

「ああ、ソーラーカーの研究で有名な教授がいらっしゃる？」

「教授というか、学生が作っています」

「学生が、ソーラーカーを作っているんですか？」

「はい、手作りのソーラーカーでオーストラリアの有名なレースに出て準優勝しました」

なにそれ、すごい。「ええと、スーパーマンみたいな学生がいるってことですか？」

「いや、学生一人の話ではなく、何十人もいるんです」

「何十人もレースに出るんですか？」そんな大学があるなんて聞いたことない。

「つまりチームなんです。工学院大学ソーラーカーチームという『学生プロジェクト』があって、そこで何十人もの学生が一つのソーラーカーを作っているんです」

「ちょっと待ってください。それは大学の研究室とは違うのですか？」

「違います。どちらかといえば、サークルや部活動に近いものです」

「じゃあ、大学の成績とは関係がなく？」

「無関係ですね」

「ソーラーカーを作って海外のレースに参戦している学生サークルがある？」

「あります。サークルではなく『学生プロジェクト』です」

「詳しく話を聞かせてください」


要約すると、「学生プロジェクト」とは、ただのサークルではなく大学公認のサークルだ。いや、大学公認のサークルや部活動はまた別にあって、「理工学に関する創造活動」であると特別に認められて、大学から施設や設備の提供や活動支援費の補助を受けているのが「学生プロジェクト」だ。

工学院大学には現在、13の学生プロジェクトがある。それぞれが扱うテーマは、次のようなものだ。

ソーラーカー
電気自動車
フォーミュラカー

ロケット
ロボット
人力飛行機
プログラミング
データ解析
バーチャルリアリティ
子ども向け科学教室
養蜂
建築
まちづくり

●ソーラービークル研究センター

工学院大学の学生プロジェクトのなかで最も有名なのがソーラーカーだ。

世界最大のソーラーカーレースで準優勝したソーラーチームの研究をさらに推進するべく、工学院大学は大学構内に「ソーラービークル研究センター」なる研究所まで作ったという。

後日、八王子キャンパスにある研究所まで出向いてみた。八王子キャンパスは、八王子市北部の山裾に東京ドーム約5個分の敷地面積で広がっていて、その一角に「ソーラービークル研究センター」のこぢんまりとした建物がある。

中に入ると、床面積のほとんどが製作途中のソーラービークル、すなわちソーラーカーとその部品で占められている。

そこでは常に数名の学生が何らかの部品を製作したり、ＣＡＤソフトを使って設計したりしている。課外活動として、自主的にソーラーカーの製作に取り組んでいるのだ。

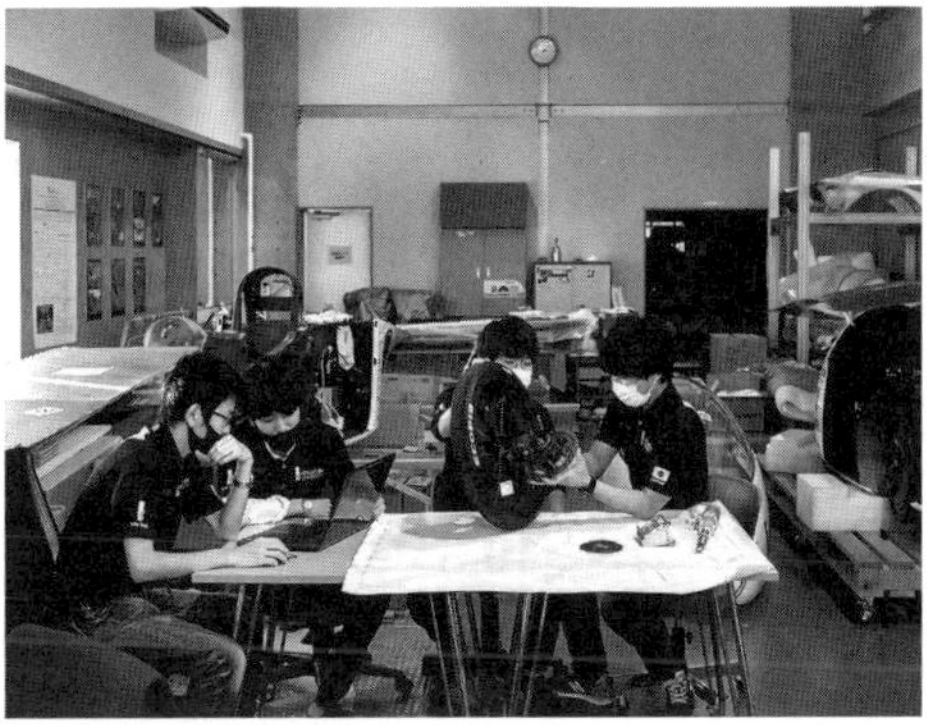

ソーラーカー製作風景

数年前にソーラービークル研究センターが設立される前のソーラーチームは、校舎の軒下で通りすがりの学生の好奇の視線にさらされながら車体を製作し、雨や夜露に濡れないようにカバーをかけて帰宅していたという。１台の完成にはおよそ2年かかる。ソーラーチームができてから10年以上が経つが、これまでに作れた車体は5台だけだ。

ＣＡＤソフトを使用するパーツの設計を3、4年生が行い、旋盤などの工作機械を使用するパーツの切り出しは主に1、2年生が行う。入学したばかりの新入生は機械などさわったこともないので、失敗しながら身体で覚えていく。

多くのメンバーが大学の講義が終わると毎日のように工房に来て、暗くなるまで作業していくのだという。ほかの学生が遊んでいるときでも、ものづくりに励んでいるらしい。

工房で実際に目の当たりにしたソーラーカーがあまりにもカッコよかったので、その場にいたソーラーチーム監督の濱根洋人教授に「私でも作れますかね？」と訊ねたところ「相当がんばらなきゃだめですよ」と言われた。

「相当がんばらなきゃだめ」というのは、事実上の否定と受け取らねばならないものかもしれないが、ここは言葉どおりに「相当がんばれば可能」という意味に受け取っておく。

ソーラーチームのなかにはソーラーカーのことをほとんど何も知らずに入部してきた学生もいる。彼らを相当がんばらせているのは何なのだろうか？

●ソーラーカーは夢のエコカー

ソーラーチームに会う前に、ひととおりソーラーカーについて調べてみた。

ソーラーカーとは、太陽光をエネルギー源として走る車のことだ。

通常のガソリン自動車は、石油を原料とするガソリンを爆発的に燃焼させて、その勢いをピストン運動に変換することで走っている。ソーラーカーは、車体にふりそそぐ太陽光を利用して発電した電気でモーターを回して走るので、構造がまったく違う。

ガソリン自動車は限りある石油資源を消費するし、燃焼後のガスを排気するので環境にも優しくない。そこで注目されているのが電気自動車だ。電気をどのように作るかの問題はあるとはいえ、排ガスが出ない電気自動車は環境に優しい未来の車として期待されている。ソーラーカーは電気自動車の種類の一つだ。

実のところ、電気自動車はガソリン自動車よりも早く、1830年代に発明されていた。ガソリン自動車の発明は1870年代だ。商用車の販売も電気自動車のほうが先だった。速度も当初は電気自動車のほうが速いくらいで、市場を制するための覇権争いがあった。

勝ったのはガソリン自動車のほうだ。電気自動車は、電気を貯めるバッテリーの進歩がはかどらず、航続距離の短さがネックとなって、ガソリン自動車に市場を奪われた。

一度はほぼ消えた電気自動車だが、石油資源依存への危機感や、環境汚染対策としての排ガス規制の強化など、ガソリン自動車の欠点が話題になるたびに注目される。

電気自動車の開発は細々と続けられ、時には市場にもリリースされたが、本格的な展開は2010年代からだ。技術の進歩から航続距離が改善され、テスラや三菱自動車や日産が次々と電気自動車を一般販売するようになった。

排ガスの出ない電気自動車だが、課題はエネルギーである電気の充電だ。ガソリンスタンドのような充電場所がインフラとして十分に整備されていないため、自宅や事業所などで充電できたとしても、遠出には不安が残る。

そこで期待されているのがソーラーカーだ。駐車中や走行中に、太陽光から発電や充電ができれば、理論上は充電スタンドが必要なくなる。

電気自動車では、たとえば火力発電による石油資源の消費や、原子力発電による事故リスクなどが指摘されることがあるが、再生可能エネルギーである太陽光発電を利用するソーラーカーであれば、そういった批判はほとんどなくなる。

●「大学生らしい生活」と引き換えに

「学生プロジェクト」のような活動は、就職活動において高く評価される。それを狙ってか、一時、ソーラーチームの入部者数は300人にまで膨れ上がった。そのほとんどは、最初はやる気があったのかもしれないが、次第に幽霊部員となって、実際に活動しているのは数十人だ。そのなかで、オーストラリア大会に連れていってもらえるのは、約30人だけだ。チームへの貢献度が高くないと選考から漏れてしまう。

２０１９年大会にドライバーとして参加した篠川大翔さん（工学部機械工学科）の入部理由は「昔から車が好きで自動車業界に入りたくて、そこで活かせるような知識を得たかった」からだ。大学の講義でエンジンについては学べるが、電気自動車や車体についても幅広く学びたいのでソーラーチームに入った。

篠川さんはチームに貢献するにはどうすればよいかと考えて、ドライバーに立候補した。立候補しても、安定して走らせることができなければドライバーにはなれないが、篠川さんは見事にメインドライバーに選ばれて、オーストラリアでハンドルを握った。もちろん就職活動では希望どおり自動車メーカーに内定している。

一方、自動車ではなく再生可能エネルギーへの興味からソーラーチームに入る人もいる。臼井悠真さん（工学部電気電子工学科）がそうだ。ソーラーチームではライトの設計を任されて、オーストラリアへの遠征メンバーにも選ばれた。

臼井さんは当初は軽い気持ちで入ったものの、次第に活動に割く時間が長くなったという。その理由について彼は「自分が辞めたりさぼったりすると、周りのがんばっている人に負担が重くかかる」からだと語った。ソーラーカーの製作は実用性も安全性も追求しなければならず、責任感が強く真面目な人ほど活動時間が長くなってしまうらしい。

どれくらいの時間を割いたのかと篠川さんに聞くと、「思い描いていた大学生らしい生活がほとんどできないほどでした」と苦笑した。「毎日のように夜遅くまで工房で作業していました。大学入学前は、バイトして車を買って乗り回そうと思っていたけれど、それができるようになったのは大会が終わって4年生になってからでした」

臼井さんも笑って同意した。「もっと夜に遊びに行ったり、どんちゃん騒ぎをしたりするはずでしたが、そういう学生生活はできませんでした」

その代わりに彼らが手に入れたのは「人間的な成長」だという。

いろんな考えの人と接して考え方が柔軟になり、人間関係が円滑になったのだそうだ。そのおかげで、臼井さんは希望どおり再生可能エネルギーの大量導入を行っている重電メーカーに内定している。2人とも誠実な印象で好感度が高かった。

濱根監督は、就職活動でのアドバンテージだけを目的として入部した人は長くは続かないと語った。確かにそのとおりで、話を聞いていると、ソーラーカーに対する興味がなければとうてい続けられない過酷な生活だ。

だが、就職に有利という側面を無視することもできない。そもそも大学に進学するのは、就職をはじめとして人生をよりよく拓いていくためというのが一般的な理解だ。

ブリヂストンワールドソーラーチャレンジ

さて、ここから先は図面でも掲載してソーラーカーの仕組みについて解説したいところだが、それはしない。この本は技術を解説するのが目的ではないからだ。

技術的な話はしない代わりに、ブリヂストンワールドソーラーチャレンジ（ＢＷＳＣ）の話をする。勝った負けたの話なら誰でも共感できるはずだ。レースにまったく興味のない方はゴールのあたりまで読み飛ばしてもかまわない。

ＢＷＳＣは世界最大のソーラーカーの大会で、レースは3つの部門に分かれて開催される。スピードを競うメインレースはチャレンジャー部門で、そのほかに実用性を評価するクルーザー部門、順位を気にせず走ることを楽しむアドベンチャー部門がある。

２０１９年大会で工学院大学がエントリーしたのは、もちろんメインレースのチャレンジャー部門だ。オーストラリア大陸北端のダーウィンを出発し、南端のアデレードに早く到着したチームが勝つ。世界各国からメディアが詰めかけ、日本からもテレビ局の取材班が現地入りしている。

コースの全長は３０２１キロメートルに及び、当然、１日で走りきることはできない。昼間に太陽光で発電しながら5～6日間かけて走る。夜間は発電できないし夜行性動物が飛び

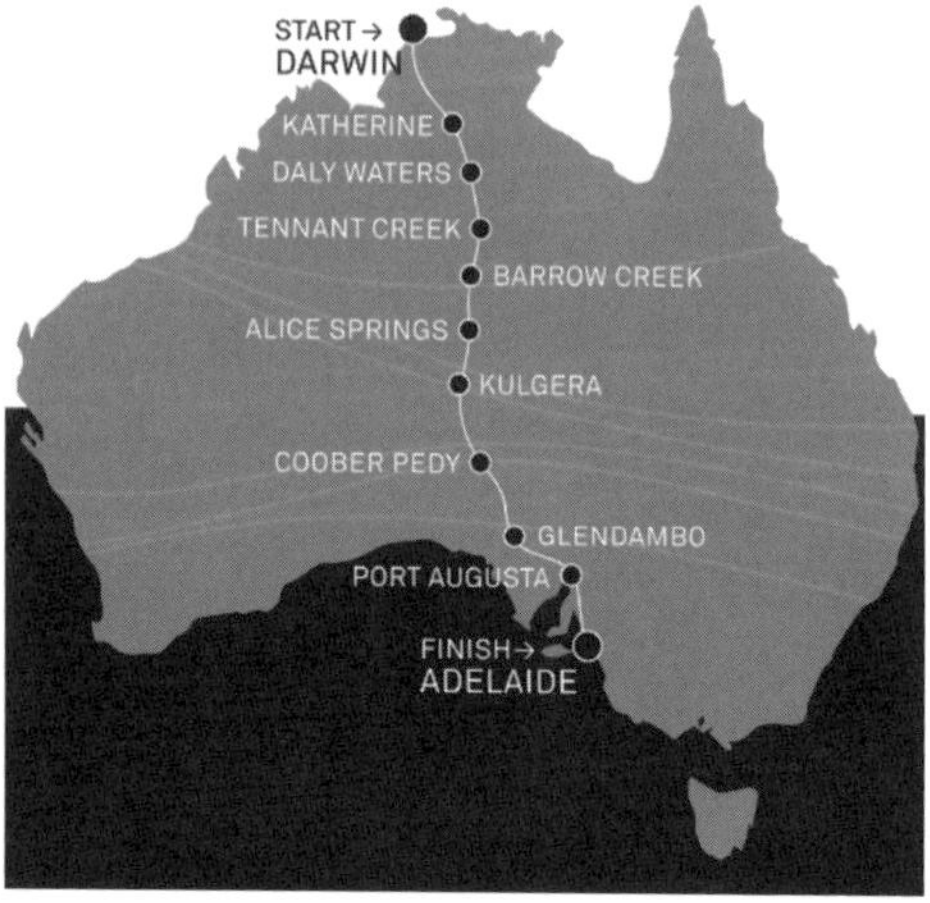

ダーウィン〜アデレード間に9つのコントロールストップ
引用元：2019 Bridgestone World Solar Challenge

出してくることがあり危険なので、17時になったら走るのをやめてキャンプインする。翌朝のレース再開は8時からだ。

大会自体は8日間だが、工学院大学ソーラーチームは3週間前からオーストラリアに乗り込んで、試走と調整を重ねていた。

レースで走るのはソーラーカーだけではない。トラブルが起きたときに修理するメカニックをはじめ、効率良く充電をするために天気予報から走行戦略を立てるグループ、公道を走るため前後の安全確認をするグループ、キャンプを設営して食事を作るグループ、走行時間や制限速度やその他のルールを守っているかを確認する審査員なども別の車に同乗して随行する。メンバーの総数は30名以上に及ぶ。

また、コース上にはコントロールストップと呼ばれる停車場が合計9カ所設置されていて、そこに着いたら強制的に30分休憩するルールだ。コントロールストップでは、多くのチームがドライバーの交代を行う。

２０１９年大会、開幕

２０１９年10月13日の日曜日、オーストラリア北端の街ダーウィンに、世界24カ国から53のチームが、それぞれ独自設計で作り上げたソーラーカーを携えて集まった。

日本から参加したのは４チームだ。

優勝経験があり、常に上位に食い込んでくる東海大学。

独創的なデザインで話題を集める工学院大学。

後発ながら安定した走りを見せる名古屋工業大学。

そして高校生主体ながら常連校の呉港（ごこう）高等学校だ。

ちなみに、現在のソーラーカー業界でトップを走るのはオランダだ。オランダのデルフト工科大学（チーム名：バッテンフォール）は、２００１年の初参加以来、９つのレースで７度の優勝を成し遂げている常勝チームだ。

また、デルフト工科大学が優勝できなかった第10回と第11回の大会で連覇したのが日本の東海大学だ。日本はオランダに次ぐソーラーカー先進国として知られている。

そのほかの強豪はアメリカのミシガン大学、ベルギーのルーヴェン・カトリック大学（チーム名：アゴリア）だ。この２大学に、優勝経験のあるデルフト工科大学を加えた前回

BWSC（チャレンジャー部門）
過去の優勝チーム

1	1987	ゼネラルモーターズ	アメリカ
2	1990	ビール工科大学	スイス
3	1993	ホンダ	日本
4	1996	ホンダ	日本
5	1999	ロイヤルメルボルン工科大学	オーストラリア
6	2001	デルフト工科大学	オランダ
7	2003	デルフト工科大学	オランダ
8	2005	デルフト工科大学	オランダ
9	2007	デルフト工科大学	オランダ
10	2009	東海大学	日本
11	2011	東海大学	日本
12	2013	デルフト工科大学	オランダ
13	2015	デルフト工科大学	オランダ
14	2017	デルフト工科大学	オランダ

大会のトップ3は、人工衛星などに使われる宇宙用ソーラーパネルを使用していた。前回4位以下のチームはいずれも一般用ソーラーパネルを使っていたので、そこで差がついたといえる。

一般用ソーラーパネルは発電効率が20％程度だが、宇宙用ソーラーパネルは発電効率が35％にのぼる。宇宙用ソーラーパネルを使えば、パネルの面積を小さくしても走行に必要な発電量を確保できるため、車体をコンパクトに設計できて、重量と空気抵抗を減らすことができる。

前回4位の東海大学は、今大会も一般用ソーラーパネルで勝負していた。性能では劣るが、安価で入手しやすく、将来的な実用性を考えての挑戦だという。

一方、前回7位の工学院大学は、今大会のために、購入すれば何千万円もしかねない宇宙用ソーラーパネルを用意することができた。レース中の発電データなどと引き換えに、スポンサーから提供してもらったのだ。初優勝に向けて、工学院大学は必勝の体制を整えていた。

大会前には車体検査（車検）が行われる。公道を走るレースなので、現地の車検に合格しなければ本選に参加することはできない。

整備スタッフとして参加した臼井さんは、レース前の車検が自分にとっていちばんの山場だと考えていた。万が一、車検に通らなかったとしたら、その責任は製作グループにある。

車検に出してから結果が出るまでの間、臼井さんはずっとドキドキしていたという。ＯＫと言われたときには「うれしくて泣きそうになった」ほどだ。

「車が完成したときよりも、車検に通ったときのほうが感動した」と臼井さんは語る。レースに出られるようになるまでは真の意味での完成ではないのだろう。真面目で責任感の強い人なのだと感じた。

大会前日には予選が行われた。予選の成績が本選の出走順位を決める。

予選でトップとなったのは、なんと初参戦のトップダッチ（オランダ）で、わずか1分51秒でサーキットを快走した。工学院大学は2分1秒で予選3位。前回までなら1位を狙えるタイムだったが、今大会はレベルが高い。

4連覇を狙うデルフト工科大学は予選8位とふるわず、アメリカのスタンフォード大学も予選では最下位だった。

ＢＷＳＣで好成績を収めるのは簡単なことではない。日本からも、過去には早稲田大学や青山学院大学がこのソーラーカーレースに参加しているが、指導教官の退官とともにチームがなくなった。6大会連続参加の東海大学や、4大会連続参加の工学院大学は、ソーラーカーの世界では誰もが知る大学となった。

そもそもこの大会に参加することに高いハードルがある。

自分たちの手でソーラーカーを作り上げることも大変だが、その車体を遠路はるばるダーウィンまで運ぶのにもお金がかかる。レースに参加するには覚悟とそれなりの大金が必要だ。

ドライバーだけでレースはできない

10月13日朝8時半、予選トップだったオランダのトップダッチが、ダーウィン市内のスタートポイントから出走した。その30秒後に、同じ位置からドイツのアーヘン工科大学がスタートし、さらに30秒遅れて、工学院大学のソーラーカーが走り始めた。

トップとの差はスタート時点で1分だが、公道を走るレースで、市街地を抜けるまでは信号もあるため、距離的にはほとんど離されていない。

初日は各チームの差がほとんどないので、ライバルチームを追い抜いて、積極的に順位を上げていくチームが多く、面白いレース展開が見られる。

ソーラーカーというと、エコのイメージもあって、それほどスピードが出ないのではと考える人もいる。

しかし、ＢＷＳＣでは、時速１３０キロメートルの制限速度いっぱいで走ることもあり、トップチームの平均速度は時速90キロメートルにものぼる。

当然、ドライバーにもそれなりのテクニックが要求されるので、たとえば東海大学は、総監督の教員をメインドライバーに据えるなど、社会人も使っている。

東海大学の総監督は20年前に高校生だった頃からＢＷＳＣに参加していて、過去６回の東海大学のチャレンジでもドライバーを務めてきた大ベテランだ。

プロのレーシングドライバーに参加してもらうチームもあるという。


一方、工学院大学ソーラーチームの濱根監督は「学生を成長させるためにやっていることで勝つことだけが目的ではありません。だからドライバーも学生のなかから選びます」と話す。車好きな学生のなかには、大人顔負けのドライビングテクニックをもつ者もいる。学生だから不利だとは限らない。

２０１９年大会のメインドライバーは２名——早川雄大さん（大学院機械工学専攻）と、前出の篠川大翔さんだ。

スタートドライバーは、前日に予選３位の好タイムを記録した早川さんだ。学生フォーミュラ日本大会でもドライバーを務めている早川さんはレース好きでテクニックもある。だが、悲願の初優勝に向けて、初日からトップに立つ意気込みでのぞんだ早川さんは、なかなか前の車両を追い抜くことができず、運転席で焦りをつのらせていた。

サーキットとは異なり、公道での耐久レースは、ドライバーの判断だけで進めることはできない。

各チームのソーラーカーの前後には、先導車、後方車と呼ばれる車が走っていて、連携しながらソーラーカーにどのように走るかを指示している。後方車には発電に必要な天候データが入るので、戦術を立てやすいからだ。

たとえば、市街地では渋滞や信号に邪魔されないようにすることが必要だ。市外に出れば、ほとんど車の通らない荒地や砂漠地帯が続くが、それでもときおり、大型のロードトレイン（トラック）に邪魔されたり、大陸横断鉄道の踏切にひっかかったりすることもある。効率良く太陽光を集めるために、天候を見ながらどこでどのように勝負をかけるかの戦術も大切だ。

ソーラーカーと後方車だけでなく荷運び用の車もあるため、順位を上げるときには相手チームの車を3、4台続けて追い越さねばならない。デッドヒートを行うと危険なので、事故が起きないように追い越しをかけるチームが前にいるチームの先導車・後方車に連絡をとって、追い抜きの許可をもらうことになっている。

つまり、戦術を立てる後方車が「ここで順位を上げる」と判断して、前を走るチームに許可をもらってからでなければ、ドライバーは追い抜きにかかれないのだ。

ドライバーの早川さんは、どんどん順位を上げていきたかったが、渋滞と最大傾斜8％の山登り区間で、キャサリンまでは追い抜きをしないように、後方車に乗る濱根監督がストップをかけていた。

そのため、3位でスタートした工学院大学は順位を上げることができず、逆に信号機につかまって4位に落ちていた。

スタート地点から312キロメートル離れた最初のコントロールストップ、キャサリンの街にお昼過ぎに着いた早川さんは見るからに荒れていた。

ドライバーは一人で車を降りてタイムを計測する時計を止めなければならないルールだが、焦ったせいか、コックピットがなかなか開かない。ほかの人が手伝うとチームが失格になるため、分かっていても誰も助けることができない。

「開かねーよ！」と叫んだ早川さんは、ようやく車から出てきて計測時計を止めると、ヘルメットを外しながらもう一度「開かねーよ、ばか！」と叫んでフェンス際に座り込んだ。

相当、イライラしているようだった。

濱根監督が心配そうに駆け寄って「落ちつけ、落ちつけ」と声を掛けるが、返事はなかった。

早川さんは、後方車に乗る監督の指示に不満を抱いていたらしい。

「2車線でしか抜けないの、分かってんだろ」

責任感の強い早川さんは、順位が落ちたことで自分を責めているようだった。

「暑かったから疲れているんだ」濱根監督は早川さんをかばって、テレビカメラを遠ざけた。まだレースは始まったばかりだが、優勝に向けての工学院大学の思いは強かった。

●工学院大学に相次ぐトラブル！

キャサリンに1着で着いたのは、予選5位でスタートし、ダーウィン市内の信号でたまたま抜けられたオランダのトゥエンテ大学だった。

工学院大学は4着で、そのわずか38秒後にすべりこんで5着になったのは、予選8位でスタートしたオランダのデルフト工科大学だ。4連覇を狙う王者は、しっかりと優勝を狙える位置にまで追い上げてきていた。

キャサリンに到着してから30分経ったチームが、ドライバーを交代して次々に出発していく。工学院大学も、ドライバーを篠川さんに代えてスタートを切った。

だが、走り出して数キロメートルで異変が起きた。車内にこもる焦げ臭さに気づいた篠川さんが、無線で後方車に知らせたのだ。

濱根監督が慌てて車を道端に止めさせて点検をすると、モーターから煙が出ていた。暑さで絶縁体が溶けて、コイル同士が接触してショートしたのだ。臭いに早く気づいたために発火は避けられたが、危うく大事故になるところだった。

その場で予備のモーターと取り換えて再びレースに戻ることができたが、1時間50分のロスとなった。修理中に多くのチームが工学院大学を追い抜いていった。

そこからスピードを上げて何チームも追い越したが、2番目のコントロールストップであるデーリー・ウォーターズに着いたときには、9位まで順位を落としていた。

優勝を狙う工学院大学チームにとっては、初日から大きな痛手だった。


実のところ、このようなトラブルは決して珍しくない。

前回大会では、本番前にコースを試走中、大型トラックとすれ違った際に起きた風の渦に巻き込まれ、車体が横転して大きな損害が出た。幸いドライバーにケガはなく、モーターも無事だったものの、ボディには穴が空き、ソーラーパネルにも傷がついて一部が使えなくなった。

レース2週間前の大事故に工学院大学はリタイアも検討したものの、「どうしても参加したい」という学生の熱意がまさった。日本で待機していた学生にパーツを作って運んでもらい、何とか修理して参戦したのだ。最終成績は26チーム中7位だった。

今年こそと雪辱を誓ってのぞんだ2019年大会だったが、先行きはあまり明るくない。

2番目のコントロールストップに着いたところで、工学院大学の初日は終わった。

デーリー・ウォーターズにキャンプを設営したチームは、日が沈むまでのわずかな間も充電を行い、明日に備えた。

炎天下の苦闘

2日目は、日の出前に起きた学生たちが、スタートの8時までの時間を利用して、ソーラーカーの充電を行う。

ソーラーカーレースの順位を大きく左右するのが天候だ。

ずっと晴天が続けば最高速度で走り続けることも可能だが、曇天になればバッテリー切れの危険があるので速度を落とさねばならない。

広大なオーストラリア大陸を縦断するため、同じ時刻でも場所によって天候は異なる。そのため、常に晴れ間を縫って走ることができるよう、どこで速度を上げて、どこで速度を落とすかの戦術が必要になる。

8時、スタートドライバーの早川さんがソーラーカーに乗り込み、デーリー・ウォーターズを出発した。2日目は天気も良く快調に飛ばすことができたが、天気が良過ぎたともいえる。太陽光発電には最適の晴天だったが、エアコンもない狭苦しい運転席に閉じ込められた

2019年大会に参加したソーラーカー Eagle（イーグル）

ドライバーには苦痛の蒸し風呂となった。
3番目のコントロールストップに着く直前で、あまりの暑さに早川さんが音を上げた。炎天下の長距離運転で水分補給用の水がなくなり、脱水症状を起こしかけたのだ。濱根監督の指示で車を止めると、早川さんの代わりに篠川さんが急遽、運転席に座ることになった。

工学院大学のソーラーカー Eagleは、運転席を覆うキャノピーが透明で、直射日光をさえぎることができない。黒いヘルメットをかぶった早川さんは太陽光で頭が熱せられて、朦朧としていた。

コントロールストップのテナント・クリークで、30分間の休憩の間に、機転を利かせた学生が銀色のガムテープをキャノピーの天辺に貼って即席の日除けを作った。格好は悪くなったが、ドライバーの健康を守ることのほうが大切だ。むしろ、なぜ設計段階でその欠陥に気づかなかったかと自分を責める学生もいたようだ。

2日目は次のコントロールストップを過ぎた地点で終わった。順位は8位。先頭集団はまだ遠いが、チームの目は死んでいない。濱根監督の檄に応じる学生たちの声がオーストラリアの夜空に響いた。

ソーラーチーム最大の危機

3日目の午後、6番目のコントロールストップに到達する直前、工学院大学はトップダッチを抜いて、7位でクルゲラに到着した。トップダッチに10分以上の差をつけての快走だった。だが、クルゲラを発ってすぐに、Eagleが強風に襲われた。一見、何もないところで突然強風にあおられて、Eagleは道路を外れてブッシュに突っ込んでいった。無理に態勢を立て直そうとして横転するより、そのまま前に向かってコースアウトしたほうがよいと、ドライバーの早川さんが判断したからだ。

調べたところ、ボディの上側を固定していたロープが外れて、浮き上がったボディが風を受けやすくなっていた。早川さんの好判断でブッシュに向かってまっすぐ突っ込んだためにモーターは無事だったが、車体の鼻先に木が刺さって大きな穴が空いてしまった。

工学院大学はその場で迅速な修復を行ったが、45分間の修理作業中に、せっかく追い越したトップダッチに再び抜かれてしまう。

そのため、この日は8位のまま走行を終えることになった。


4日目も朝から強風が吹き荒れ、各チームのソーラーカーを襲った。

まず、5位を走っていたドイツのアーヘン工科大学の車が、ロードトレインとすれ違ったときの強風でコースアウトして損傷した。その日のうちに何とか修復してレースに復帰したが、修理に何時間もかかったため、順位を大きく下げることになった。

さらに、首位を独走していたオランダのトゥエンテ大学の車も、強風にあおられてコースアウトした。車は大破し、トゥエンテ大学はそのままリタイアとなった。

代わって1位になったのは、4連覇を狙うデルフト工科大学だった。


7番目のコントロールストップ、クーパーペディに着いたときには、クラッシュした2チームが上位から消えて、工学院大学は8位から6位に浮上していた。5位のトップダッチとの差はわずか4分。再び追い抜くのも時間の問題だと学生たちは考えていた。

だがここで、安全のために時速80キロメートルの速度制限が全チームに課された。制限速度があるとお互いのスピードに差がつかないため、前の車を追い抜くことが難しい。

速度制限のなか、クーパーペディをゆるやかに出発したEagleは、しかし次のコントロールストップに到着する直前、突然左に振られてコースアウトした。後続車のカメラには、まるで木の葉のように横転するEagleの姿がはっきりととらえられていた。

濱根監督はまっ先に、ドライバーの篠川さんの安否を心配した。学生の身柄を預かる監督にとって、安全確保は最優先事項だ。

幸いなことに、篠川さんに怪我はなかった。たとえ吹き飛ばされても最低限ドライバーの身を守れるようなつくりにしてあったからだ。

篠川さんはのちの取材で「時速80キロで走っていたのに突然ハンドルがとられて、瞬間的に身の危険を感じた」と語った。

事故の原因は、現地でウィリー・ウィリーと呼ばれる竜巻だった。

ソーラーカーに搭載した圧力センサーによれば、車体にかかる負荷が瞬間的に3倍以上になっていて、突発的な強風に襲われたことが分かった。

ドライバーに怪我こそなかったものの、車は大きく損傷した。

当然、この日はもうレースの継続は不能で、その周辺でキャンプを張ることになった。

度重なるトラブルに、濱根監督は初のリタイアを考えていた。

だが、学生たちはそうは考えなかった。キャンプが設営されると、誰に言われるでもなく集まって、車の修理にとりかかりはじめた。

●不死鳥のようによみがえれ

その夜、濱根監督はチームメンバーを集めて集会を開いた。

「この先どうしたいのか、みんなの意見を聞きたい」

濱根監督が尊重したのはドライバーの意見だ。車が浮き上がって横転するのを運転席で経験した篠川さんや、それを目の当たりにした早川さんが「怖いです」と言えば、無理せずにリタイアするつもりだった。

だが、早川さんの口から出てきたのは「完走したい」という言葉だった。事故のときに運転していた篠川さんも「怖かったけど、ここでリタイアするのはもっと怖い」とつぶやいた。ほかの学生たちも熱っぽく「最後まで走りたい」と口にした。

濱根監督は喜びを隠せなかった。

「今の学生たちは諦めが早いといわれるけど、誰もリタイアするとは言わなかった。メカニックの学生も、何も言われなくても明日走ることを前提にすぐに修理を始めていた。学生たちの諦めない気持ち、精神的な成長が見られたのがうれしい」

この時点で、この年の工学院大学の目標は、優勝でなく完走に変わった。

翌朝、幾度ものクラッシュと修理を重ねて、ぼろぼろになったEagleの白い車体に、濱根監督がマジックで大きく「Never give up!!」と書き込んだ。

そして学生たちにも、それぞれの思いを寄せ書きするように促した。

学生たちはためらいつつも、ある者は真剣な顔で、またある者は照れながら、思い思いに言葉を書き込んだ。

「We are Phoenix」

「不死鳥のごとくアデレードに舞い下りろ!!」

「最後まで輝け!!」

傷だらけのEagleの車体は、表面のコーティングもすでにはがれていたが、オーストラリアの朝日のなかで確かにキラキラと輝いているように見えた。

5日目。最後から2つ目のコントロールストップには7位で到着した。

トップ争いをしている3チームは、オランダのデルフト工科大学、ベルギーのルーヴェン・カトリック大学、そして日本の東海大学だ。

だが、その直後、とんでもないニュースが入ってきた。

4連覇をかけてトップを走っていたデルフト工科大学のソーラーカーが、走行中に突然バッテリーが発火して、車体が炎上したのだ。幸い怪我人はいなかったが、常勝の王者デルフト工科大学は無念のリタイアとなった。

●完走のフィナーレ

この日、ベルギーのルーヴェン・カトリック大学がアデレードに到着して、初優勝を飾った。2位は東海大学、3位はアメリカのミシガン大学、4位はオランダのトップダッチだった。工学院大学は、もう1日のキャンプを経て、6日目に5位でゴールインした。

27チーム中、完走できたのがわずか11チームという厳しいレースだった。

ゴールインしたソーラーチームは、広場の噴水に向かって飛び込んで、水をかけあって喜びを表現した。BWSCのゴールの名物だ。オーストラリアは暑いイメージがあるかもしれないが、赤道を遠く離れた南端のアデレードの10月は意外と肌寒い。その寒さを感じないくらいに学生たちははしゃいでいた。

優勝はできなかったものの、何度も何度も不死鳥のようによみがえって完走したことに、学生たちは心から満足しているように見えた。

ドライバーの篠川さんは「レースはとにかく過酷でした」と振り返った。

運転席はすごく狭いバスタブ並みの大きさしかなく、足も伸ばせないなかに何時間も座るので、身体がガチガチになる。レース中は集中しているので痛みを感じないが、降りて緊張がとけると身体中が痛くなる。頭では分かっていても、実際に体験するのは別だった。篠川さんが想像していたより時間も長く、体力的にも厳しかった。

それでも篠川さんにとっては得難い経験だった。

濱根監督は「学生の成長がうれしい」と語った。

大学生といっても、入学当初は高校生とほとんど変わらない幼い顔立ちだ。だが、オーストラリアで約1週間のレースを体験してゴールしたあとの顔を見ると、精神的にすごく成長しているのが分かるという。さまざまな経験が化学反応して、ぜんぜん違う顔つきになっているのを見るのが、濱根監督の喜びなのだ。

表彰式で、工学院大学のEagleはCSIRO（オーストラリア連邦科学産業研究機構）公認の技術賞「テクニカルイノベーションアワード」を受賞した。この賞は、参加した車両のなかで最も技術的に優れたマシンに対して与えられる賞だ。

ソーラーカーの安定と低燃費を実現するために、Eagleに使ったエアと油圧のハイブリッドサスペンションが、非常に高く評価されたのだ。日本チームがこの賞を受賞するのは15回の大会の歴史上初めてである。技術的な意味は私もよく理解できていないが、濱根監督の口ぶりから快挙なのだということが伝わってきた。

こうして、ＢＷＳＣにおける、工学院大学の４度目の挑戦は幕を閉じた。次回大会は２０２１年に開催予定であったが、全世界を襲った新型コロナウイルス感染症の影響で残念ながら中止となった。

だが、その次の２０２３年大会に向けて、ソーラーチームはすでに動き出している。

●ソーラーカーの未来をつくる

２０２１年３月、日本の素材メーカーの帝人は、電気自動車向けのソーラーパネルルーフを、オーストラリアのベンチャー企業と共同で開発したと発表した。このルーフの開発に活かされているのが、工学院大学のソーラーカーの走行データだ。

帝人は工学院大学ソーラーチームのメインスポンサーとして、車体用のカーボン素材などさまざまな先端技術を提供している。その代わりに、灼熱の気候での連続走行という、ほかでは得られないデータを入手している。

スポンサーの獲得は簡単ではない。工学院大学ソーラーチームも、何十社もの企業に何度も何度も断られながら、大学職員をはじめ、時には学長や副学長が足を運んで、賛助依頼を繰り返した。もちろん、先鞭をつけたのは、ソーラーチームの学生たちと濱根監督だ。工学院大学はソーラーチームを支援するために、新たにソーラービークル研究センターまでつくり、スポンサー企業の信頼を勝ち得ている。

ほかのチームもそれぞれ企業と連携して、次世代ソーラーカーやソーラーパネルの創造に貢献している。ソーラーチームの挑戦は、ただの学生のレクリエーションではないのだ。

現在のBWSCは学生チームが主体だが、過去には企業チームも参加していた。第1回大会で優勝したのはアメリカのゼネラルモーターズだったし、第3回大会と第4回大会で連覇したのは日本のホンダだ。

だが、その後、企業は主体的に参加するのではなく、大学と連携して、学生チームのスポンサーとして技術供与をする側に回った。

7回の優勝を誇るオランダのデルフト工科大学は、オランダのエネルギー企業のヌオンの全面的な支援を受けていて、過去にはヌオン・ソーラーチームの名前でレースに出場していた。ヌオンがスウェーデンの電力会社バッテンフォールに買収されてグループ企業になったので、2019年大会からはバッテンフォール・ソーラーチームの名前になった。

2019年大会で優勝したベルギーのルーヴェン・カトリック大学も、チーム名はアゴ

工学院大学ソーラーチームの主なスポンサー

リア・ソーラーチームだ。かつてはベルギーの変速機メーカーのパンチパワートレインの名前をチームに冠していた。

アメリカのミシガン大学はゼネラルモーターズの支援を受けているし、東海大学は東レ・カーボンマジックがスポンサーになっている。

もちろん各チームのスポンサーは1社だけではない。工学院大学のEagleにも、ひときわ目立つ帝人のロゴのほかに、40社以上のロゴが印刷されている。

企業と学生チームの連携は、レースに使われるソーラーカーの技術が、将来的な実用化と密接に関連していることを示している。

たとえば2021年、オランダのベンチャー企業「ライトイヤー」がソーラーカー「ライトイヤー・ワン」の販売を開始する計画を明らかにした。

この「ライトイヤー」を創業したのは、BWSC2015の優勝チームの一員だ。大会を通しての経験がベンチャー企業の創業に大きく関わっていることは間違いない。

ソーラーチームでの成長

ソーラーチームのメンバーはチームでの経験をどのようにとらえているのだろうか。

濱根監督は学生の成長にすごく役立っていると語る。学生たちにもその自覚はあるようだ。そのうえで「過酷だった」「もっと遊びたかった」という本音が垣間見えてしまうのは、若者としては当然だろう。

篠川さんは「お金の出ないインターンというか、社会経験を積んだ感じ」と話す。仕事だから当然成長はするが、楽しいこととつらいことが両方あったので、手放しで楽しかったとはいえない感が伝わってきた。

それでもあえて成長した点を聞いてみると、篠川さんはゆっくりと言葉を選んで教えてくれた。ソーラーチームに入る前は頭でっかちで、ものづくりとか設計とかは知識が大事だと思っていたが、活動を通して、他人の話を聞いたり息抜きしたりすることが、意外と大事だと分かったのだそうだ。「メンバーと一緒に遊びに行って仲良くなると作業が円滑に進む」

――その気づきは、今後、社会人として働くうえでも大いに役立つに違いない。

臼井さんは、人に頼ることを覚えたのが一番の収穫だったそうだ。大学に入ったときは、

BWSCにおける工学院大学ソーラーチームの戦績

12	2013	Practice	未完走	チャレンジャー部門
13	2015	OWL	準優勝	クルーザー部門
14	2017	Wing	7位	チャレンジャー部門
15	2019	Eagle	5位	チャレンジャー部門
16	2021		中止	

自分はけっこうできる人間だと思っている部分があったそうだが、ソーラーチームに参加して、そんな考えが間違いだと分かったという。自分だけではたいしたことができないと感じて、先生や先輩など人に頼ることを覚えたのは、高校までの臼井さんには考えられなかったことなのだという。

２０２１年のリーダーを任せられた瀬戸晶平さん（工学部機械システム工学科）は「世界と競うようなチームに入ると、やはり自分ができることの限界を感じる」としたうえで「自分ができないことを認めたり、人にアドバイスを求めたり、素直に人の意見を聞いたりすることが大事」と教えてくれた。

皆さんとても立派なことを言うので、おじさんは感動でしばしば言葉を失っていたのだが、同行した編集さんから帰路に「あれくらいのことが言えないと就職活動で内定はもらえません」と聞かされた。

●インタビュー

工学部　機械システム工学科　自動制御研究室
濱根洋人　教授

工学院大学ソーラーチームの監督として全体を統率するのが、工学部機械システム工学科の濱根洋人教授だ。濱根教授は工学院大学の出身者でもある。

濱根：ぼくは青森市の出身で、東京での学生生活に憧れていたんです。ある日、工学院大学が新宿のど真ん中に高層ビルのキャンパスを建てたことを知って、ここで大学生をやりたいと思って来ました。ところが入学したら八王子キャンパスに通うことになり、当時の八王子は青森と何も変わらなかった（笑）。
中古車を買って遊び回っていたので、2年生が終わった時点の成績は最低で、このままでは駄目だと思って3年生で一からやり直して大学院まで行きました。当時、ロボットの研究室に入るために「博士まで取るので入れてください」とお願いしたので、研究者になる道しかなくなりました（笑）。

大学院は楽しかったですよ。学会発表するたびに旅行して温泉入ってお酒が飲めるので、年間に25回くらい学会発表して、最多記録だと言われました。海外にも行きたいという理由でタイの学会に行って山岳ツアーに申し込んで山登りしたらさすがに怒られました（笑）。

経歴を聞いただけなのに、笑いの絶えない話になった。このあとも、アメリカで暮らしたくて100通くらいアメリカの研究室に手紙を書いたとか、せっかくアメリカで研究員になれたのに日本人と結婚したくて帰国したとか、破天荒な話が続くが割愛する。

濱根：2003年に青山学院大学の林 洋一研究室の助手になったら、その先生がたまたま青山学院大学のソーラーカーチームを率いてBWSCに参加していて、同行させてもらいました。

青山学院大学に4年間お世話になってから工学院大学に移ったとき、新しいことを打ち出せる学生を育てたいと考えて、頭に浮かんだのがBWSCです。

日本で学生の活動といえば、箱根駅伝とかロボコンとか鳥人間とかが有名ですよね。それらは日本国内では有名だけど、海外に行ったら誰も知らない。でもソーラーカーレースは海外の大学ではとても有名で、スタンフォード大学やケンブリッジ大学の学生も参加している。２００８年に授業でその話をして、やりたい奴はついてこいと言ったら、８名だけ手を挙げてくれた。それが始まりです。

ゼロからソーラーチームを立ち上げて、海外のレースにまで参戦するのは並大抵のことではないが、濱根教授のエネルギー溢れる話を聞いていると納得できる。しかし、ソーラーカーの製作には多額の資金が必要だと聞いている。お金はどうやって工面したのか。

濱根：みんなで企画書を書き、いろいろな会社に送って、スポンサーになってくださいと頼みました。今、車体製作を手伝ってもらっているＧＨクラフトさんには15回くらい通って交渉し、本当は数千万円かかるところを良心的な価格で型を作ってもらいました。スポンサー交渉はほとんどうまくいきませんでしたが、何十社も回ってなんとか数十万円集めました。そのお金で初号機の製作にとりかかりましたが、工具もないし、作る場所もなく、校舎の軒下で作っていました。普通に学生が通るようなところで、夏は暑くて蚊に食われるし大変でした。でも、何をするときも自分の頭で一から考えなければならなかったあの頃が、いちばん楽しかったかもしれません。

完成した1号機で国内大会「ソーラーカーレース鈴鹿２００９」に出場するが、完走すらできなかった。濱根教授は「黒歴史」だと笑うが、実はこのとき、投票によって選ばれるデザイン賞を受賞している。少なくともデザインは独創的でカッコよかったのだ。

濱根：昔のソーラーカーってみんなゴキブリみたいな平べったいかたちの3輪車で、人が寝そべって乗っていたんです。でも、ルールで指定されているわけじゃなくて、その型がいちばん空気抵抗が少なくて、ソーラーパネルをたくさん展開できるとみんなが考えていただけ。私たちはソーラーカーで未来の産業革命を興そうとしているのだから、人の物まねはよくないと思って、新しいものを作りました。1号機はおそらく世界初の人が座った状態で乗る4輪ソーラーカーで、運転のしやすさを追求しました。ところが、今までにないかたちだったので空気力学的にはいまいちで、完走もできませんでした。

工学院大学がBWSCで初めて完走できたのは、3号機OWLで二度目の出場となった2015年の大会だ。この年、工学院大学は前回出場したチャレンジャー部門ではなく、2013年に新設されたクルーザー部門にエントリーする。

クルーザー部門はスピードだけでなく実用性なども評価したポイント制での競争となり、車体も2人乗り以上にすることが決められている。ソーラーカーはいずれ実用化されるの

工学院大学ソーラーカー1号機は秋田県大潟村で開催されているソーラーカーレース、ワールド・グリーン・チャレンジ2010で初めての完走。翌年は準優勝で、翌々年は優勝を飾る。チーム設立から優勝までの最短記録だといわれている。

2号機Practice（プラクティス）はオーストラリアで開催される世界大会、BWSC2013に初出場。残念ながら完走はできず、3021キロメートルのうち574キロメートルはトレーラーでの搬送となった。

3号機OWL（アウル）はクルーザー部門のレギュレーションに従って2人乗りであったが、実際の大会では搭乗者をあえて1人にしてスピード勝負に賭けた。搭乗者ポイントを最初から捨てる思い切りの良さが功を奏した。

で、クルーザー部門のほうが注目を集めるようになると濱根教授は考えた。

実用性を重視したクルーザー部門ではあったが、工学院大学はあえてスピードで勝負する戦略を立てた。配点を見るとスピードへの割り当てが抜きんでて高かったので、ほかの配点で負けても、スピードで勝てばいいと踏んだのだ。

その結果、レース前半はぶっちぎりのトップでゴールしたが、この戦略に対して大会側から物言いがついて、後半は時速70キロメートルで走行するよう急なルール変更を課された。それでも1着でのゴールインだったが、総合ポイントで負けて準優勝に終わった。

濱根：ＢＷＳＣで準優勝したら、学内で急に注目を集めて、入部希望者もたくさん来て、一時は３００人くらいの大所帯になりました。でもきちんと活動しているのは数十人。大学からも支援してもらえるようになって、それまでは屋外で作っていたのに、ソーラービークル研究センターという研究所ができて、屋内で作業できるようになりました。

だが、クルーザー部門で準優勝しても学外ではそれほど話題にならない。優勝ではなく準優勝というのが弱く、メディアも取り上げにくかったのだろうか。

そこで２０１７年大会で、工学院大学は再びチャレンジャー部門で参戦する。スピードには自信があったので、不透明な採点のクルーザー部門ではなく、ゴールインの着順だけで勝負が決まるチャレンジャー部門で正々堂々と優勝するつもりだった。

優勝へ向けての意気込みで作り上げたのが、ソーラーパネルと車体を分離させた、まったく新しい4号機Wingだ。本選では、運悪く雲につかまって十分な発電ができず7位に終わったものの、誰もが見たことのなかった斬新な形状の車体はたいへん話題になった。レース終了後に、観覧に来ていた現地の富豪が、「いくらでもいいから売ってほしい」と白紙の小切手を渡してきたほどだ。

残念ながら、スポンサー企業の最先端技術を組み込んだ車体は、秘密保持契約があるのでそのまま売ることはできなかった。濱根監督は「レプリカを作り売ってもいい」と言ったのだが、「レースに使った車体をそのまま欲しい」と言われて、交渉は物別れに終わった。

濱根：3億円くらいで売って今までの投資額回収と今後の資金集めをしたいと思ったのですが、駄目でした。車をオーストラリアまで運んで、飛行機代、ホテル代、レンタカー代、ガソリン代とかを入れると、車体製作費まで含めて数千万円くらいかかります。毎回スポンサー企業に頭を下げて支援のお願いをしているのですが、予算オーバーすることもあります。最初の世界大会のときは、実績がないために学校からの支援もなくて、個人的な負担をすることもありました。

4号機Wing（ウイング）のコンセプトは空気抵抗ゼロだ。パネルを曲線状にすることで、風とパネルが一体化することを目指した。快調に走行しているときは、まるでパネルが存在しないかのように風が流れる美しいデザインの車体だ。

ソーラーカーが専門というわけではないのに、なぜ濱根教授はそこまでするのだろうか。

濱根：学生の成長ですね。大学生というのは入学したばかりではまだ子どもですが、昔のぼくのように、本人が将来を考えて勉強しようとか、精神的に成長しようとすると、短期間で爆発的な成長を遂げます。だから大学では成長のチャンスを与えることが重要です。

優しく「楽しいよ」と示して、褒めてあげて、本人が興味をもって真剣に取り組めばその道のプロを超えることもできます。それで希望の企業に就職できれば、その子の将来が明るくなる。どこでどんな仕事をしてもいいのですが、やりがいをもっていきいきと働ける子を増やしたい。それが結果として、大学の価値も高めてくれると思います。

いろいろ魅力的な面を見せてくれた濱根教授だったが、最後はきちんと教育者の顔で締めてくれた。

Project

2

やっぱり車は馬力があって速くてうるさいほうがカッコいい！

――エンジン以外すべて自作のフォーミュラカーに夢を乗せる「工学院レーシングチーム」

●フォーミュラカーを自作するプロジェクト

工学院大学の学生プロジェクトには、車に関わる団体が3つある。ソーラーカーとフォーミュラカーと電気自動車だ。この本では、ソーラーカーとフォーミュラカーの学生プロジェクトを取り上げる。

フォーミュラカーとは、車輪やドライバーが剥き出しになっているオープンホイールカーのことで、F1レースで使われている車をイメージしてもらえばいい。

F1は、正式名称をフォーミュラ・ワン（Formula 1）といって、フォーミュラカーを使った自動車レースの最高峰だ。そして、学生が自分たちでマシンの設計や製作を行って参戦するフォーミュラカーの競技が、学生フォーミュラ日本大会（Formula SAE Japan）だ。

BWSC2019でソーラーチームのドライバーを務めた大学院生の早川さんは、フォーミュラカーの学生プロジェクトにもかけもちで所属していて、学生フォーミュラ日本大会2019でもドライバーを務めていた。

この大会に出場しているのは、工学院レーシングチーム（KRT）を名乗る学生プロジェクトだ。KRTが発足したのは2004年で、2009年に設立された工学院大学ソーラーチームよりも活動開始は早い。だが、海外大会への参戦や上位入賞がまだないために、知名度では若干の差をつけられている。

学生フォーミュラ日本大会は、F1とは異なり速さだけの勝負ではない。国内最大の工学系学術団体である公益社団法人自動車技術会が主催する、ものづくり・デザインコンペティションだ。学生がゼロから作り上げたフォーミュラカーを一般販売するという仮定で、コスト、デザイン、プレゼンテーション、走行性能、耐久性などを審査する5日間の競技大会である。

KRTが製作したフォーミュラカー（2019）

主催団体の自動車技術会の会長は、日産自動車執行役副社長の坂本秀行氏だ。同団体の制作した映像作品「学生フォーミュラ日本大会2019」のなかで、坂本氏は「（大会開催の）最大の意義は、ものづくりを通じて、次世代を担うエンジニアを育成すること」だと語っている。実際に、毎年、学生フォーミュラに参加したチームから多数の人材が自動車業界に就職して活躍している。ソーラーチーム同様、KRTもまた業界への就職のパスポートになっている面がある。

●工学院レーシングチーム

学生フォーミュラ日本大会は、1981年にアメリカで始まったフォーミュラSAEが起源だ。その歴史は、1987年に始まったBWSCよりも古い。

ただし、日本大会の開催は2003年からと比較的新しい。日本大会といっても海外の大学からの参加もあり、アメリカ大会やイギリス大会やオーストラリア大会と同様、国際大会の一つという位置づけになっている。2019年の日本大会には、国内外から総勢89チームが参加した。

学生フォーミュラ日本大会は出場チーム数も多いため、工学院レーシングチーム（KRT）は、2019年までの大会で総合ベスト10に入ったことはまだない。最高位は2010年大会の17位だ。結果がすべてではないが、メンバーに悔しさはあるだろう。

やや意地が悪いとは思ったが、国内大会で優勝、世界大会で準優勝という結果を出している工学院大学ソーラーチームをどう思うか、KRTのチームリーダーの宮田知弥さん（工学部機械工学科）に聞いてみた。

宮田さんはあっけらかんと「ソーラーカーも好きですが、ソーラーチームに入ろうとは思わなかったですね」と答えてくれた。宮田さんがどちらに入ろうかと悩んだのは、ソーラーチームではなく、むしろ部活動の自動車部のほうだ。自動車部も車好きが集まっていて、競技大会にも参加している。しかし自動車部が既製品の車に乗るのに対して、KRTはゼロから車を作っているところが魅力的だった。「より実践的な知識や経験」を得たいと思った宮田さんはKRTに入部する。

もちろんソーラーチームも車を作るものの、搭載するのは電動モーターだ。宮田さんは爆音でうるさいガソリンエンジンが好きだという。さらに、1、2年生のうちから設計や製作に携わりたいならKRTのほうがいいとも語る。

小さい頃から車が好きで、将来は車を作りたいと言いながら育った宮田さんにとって、自動車メーカーへの就職に最も近く感じられたのはKRTだった。

数少ない女性メンバーの井上七海さん（工学部機械工学科）も、小学校卒業文集の将来の夢に「車の設計士」と書いたほどの自動車好きだ。

元チームリーダーの福田剛琉さん（先進工学部機械理工学科）も「うるさいエンジンが好き」だと口をそろえる。

車の魅力がどこにあるのかと聞かれて「自分一人でも遠くまで行けるところ」とか「人や物を簡単に運べるところ」などと利便性を挙げる人は、もしかすると真の車好きではないのかもしれない。本当に車が好きな人は、爆音や排ガスといった、人によってはデメリットに感じられるようなところも含めて、車そのものを愛しているのだろう。

学生フォーミュラ日本大会２０１８におけるＫＲＴの順位は92チーム中84位だ。お世辞にもよい成績とはいえない。

それにはちゃんと理由があるという。２０１７年大会と２０１６年大会に参加できなかったので、学生のなかに大会経験者が少なくて、高く評価される車両を作れなかったのだ。学生だけの活動はメンバーが定期的に入れ替わるので、きちんと活動を続けてノウハウを伝承していかなければ、経験の積み重ねで生まれる資産が失われてしまう。

だが、翌年の２０１９年大会では、大会参加経験がない宮田さんたちのみで新しく車両を作ってのぞみ、89チーム中35位と健闘した。50近く順位がアップしたので本来であればジャンプアップ賞だったのだが、すべての競技に参加できなかったので受賞は逃した。

宮田さんによれば、過去の経験やノウハウをあてにせず、一から自分たちで勉強したことが功を奏したのだという。つまり、めちゃくちゃがんばったという話だと思うのだが、本人たちの口からはそんな文系っぽい言葉は出てこなかった。

代わりに出てきたのは分析の言葉だ。時間内に車検を通ることができず、スキッドパッド審査（コーナリングの性能評価）とアクセラレーション審査（加速タイムの評価）に参加できなかったことが得点が伸びなかった原因で、もし参加できていたら、総合で10位以内には

●難関！　９つの審査種目

入れたというのが宮田さんの弁だ。

学生フォーミュラ日本大会の競技は単純なスピードレースではない。車検も含めて9つの審査種目があり、合計で1000点の配点がある。KRTはスキッドパッド審査の75点とアクセラレーション審査の100点をまるまる落としている。審査種目すべてに参加したわけではないのに35位なのだから立派なものだ。

車検を除いた8つの審査のうち実際に車を走らせる動的審査は5つで、3つは実車以外の資料をもとに評価する静的審査となる。

そのうちコスト審査では、事前に提出したコストレポートと比較しながらの口頭試問があるが、そのレポートの量が半端なかった。レポートにはすべての部品の製造図面が付されていて、原価計算もされていて、それを見るだけで製造ができるようなものだ。レポートの厚さは10センチメートル以上に及ぶ。

またプレゼンテーション審査では、設計開発会社のエンジニアとして、製造会社の役員に車を売り込まなければならない。スーツを着て、パワーポイント資料を前にプレゼンをする姿は社会人顔負けだ。

ただ動く車を作るだけでも大変なのに、そこまでさせるのかと驚いた。

２０１９年大会で総合優勝を飾ったのは、毎年ＢＷＳＣにも参加している名古屋工業大学だ。工科系大学同士のライバル意識もあったりするのだろうかと思ったが、それはあまりないそうだ。ＫＲＴに限らず、どの学生プロジェクトも自分たちの成績を伸ばすことに注力していて、他大学との競争意識が薄いことには好感がもてた。他者との競争よりも自分がどこまでできるかに興味が向くのは理系っぽいと思う。

宮田さんは、３年生として参加する２０２０年こそヒトケタ順位に入れると考えていたが、残念ながら新型コロナウイルス感染症の影響で大会が中止になった。

それでも宮田さんはめげずに「この1年でぼくの知識も増えましたし、ＫＲＴはこれから黄金期がきます」と力強く語ってくれた。２０２1年大会では彼は4年生なので、通常であれば引退しているのだが、おそらく何らかのかたちで参加するのだろう。

宮田さんは、授業とバイトの時間以外はすべて工房で作業している。バイトは週2日コンビニの夜勤をしていて、その理由は、夜勤なら午前中に授業に出て昼から工房に行けるからだそうだ。とにかく行けるときは毎日工房で作業しているという。

井上さんも「宮田ほどではないですが、私も用事がないときは、いつも工房に行くようにしています」と語る。福田さんも「みんなと仲良くなりたいのもあって、よく工房に出入りしていた」と話す。仲良くなりたいという気持ちならよく分かる。作業をしなくてはならないというのもあろうが、同じ車好きで話が合う人と一緒にいる時間が楽しいのだろう。

話を聞いていると、みんな本当に車好きなのだと感じさせられる。

とはいえ、楽しいばかりでもないらしい。

宮田さんは「やらなきゃいけないことが多過ぎて、ずっと何かに追われている感覚がつらい」と言う。チームリーダーであり、進捗管理も行っている宮田さんは「遅れたら責任が自分にかかってくる感覚が精神的にきつい」と告白してくれた。

福田さんも「スケジュールのプレッシャーはすごく感じます」と話す。スケジュールどおりに作業が進まないのは一人ひとりの仕事が遅いせいなのかと思えば、そうではないらしい。

井上さんは「そもそものスケジュールがぎちぎちでかなり無理がある」と語る。だから、大会で車が走ったときはうれしいし、やっていてよかったと思うけれども、その一瞬に向けての製作期間は、基本的にけっこうつらいことが多いのだそうだ。

1年間で1台の車を作って、できあがったら試走してトラブルの洗い出しをして修正して、を延々と繰り返すのは、人数がそれほど多くないこともあって、作業的にはけっこういっぱいいっぱいであるらしい。

井上さんは「朝8時から夜10時までずっと工房で作業してという日々が続くときは『つらいなあ』としか考えられなかったです」と語る。車好きな人をして、ここまで言わしめるのは相当なことだと感じられる。とにかく鍵のあいている時間はずっと工房で作業しているのだ。

●強いチームをつくるためにできること

スケジュールがきつくて製作がつらいとしても、車好きが集まって、好きな車を作っているのだから、組織としてのＫＲＴはわきあいあいとしているのだろう。

そう思っていたところ、宮田さんの口から「実は組織としても、一回失敗しています」との言葉が出てきた。

どういうことかと聞けば、今3年生の宮田さんが2年生のときに入ってきてくれた1年生がほとんど辞めてしまったというのだ。

しかし、責任は宮田さん一人が負うべきものではないはずだ。そう聞いてみたところ「実は」と明かされたのは、とんでもないチーム事情だった。宮田さんは1年生のときから3年連続でＫＲＴのリーダーを務めているというのだ。

もっと正確にいえば、本来ＫＲＴにはリーダーが2人いる。チームの運営をするチームリーダーと、製作のリーダーであるテクニカルディレクターの2人だ。1トップだと、その人が機能しなくなったときに全体の進行が遅れるので、2トップにしてお互いに管理しあう体制なのだ。その話を聞いただけでもシステムとして優れていると感じるのだが、実状はそこまで簡単ではない。

リーダーを務めるには、リーダーシップがなければならない。しかし、リーダーシップをもつ人材は希少だ。そこで、宮田さんは1年時にはチームリーダー、2年時にはテクニカルディレクターを務め、3年の今は人手不足からチームリーダーとテクニカルディレクターの両方を兼務している。せっかくの優れたシステムが機能していないのだ。

そして、人手不足になった理由はひとえに自分にあると宮田さんは言う。なぜかといえば、時間がなくて後輩に十分なケアができなかったからだ。

２０１８年に入学した宮田さんは、２年連続で大会に不参加となっていたＫＲＴを再建した立役者の一人だ。２０１９年大会では2年生なのにチームリーダーを務めて、躍進を主導した。

このとき宮田さんは、福田さんたち新入生の教育を怠ってしまったという。

本来であれば、新入生一人ひとりに、この組織で何ができるのか、何をやるべきかを考えさせなければならなかったのに、忙しかったために、その場その場で、あれしてこれしてと細かく指示して動かしてしまった。そのため、彼らは自分たちで考える経験を積まないまま2年生になった。だから2年生になって指示がもらえなくなると、何をしていいか分からなくなって辞めてしまったのだそうだ。

宮田さんは、これは自分のマネジメントの失敗だと振り返る。細かく指示するマイクロマネジメントでは指示待ち人間を量産して人が育たないというのは、民間企業ではよくいわれているが、学生団体のリーダーが自らの失敗として語るのは珍しい。

宮田さんは、今の1年生にはあえてあまり指示をせず、自分で考えて自分でやってみろと伝えている。人間は失敗することで成長するから、上級生がいるうちに失敗の経験をたくさんさせておきたいとの親心からだ。自分でいろいろできるようになっておかないと、上級生がいなくなったときに何もできなくなる。

それだけでなく、横のつながりを大事にするようにも伝えている。先輩はいずれいなくなるので、最後に頼りになるのは同級生だぞと口を酸っぱくして言っているのだそうだ。

これも宮田さんの経験則だ。

宮田さんたちの代は、大会に再び参加するため、めちゃくちゃつらい時間を一緒に過ごして、すごく横のつながりが強い。何でも遠慮なく話せる関係性がある。それを今の1年生にも体験してほしいのだと宮田さんは熱く語った。「兄貴」という言葉がすごく似合う人だなと思った。

車づくりに息づく職人魂

しかし、ゼロから車を作るとは、いったいどういうことだろうか。日曜大工で椅子を作るとか、電子工作でラジオを作るのであればまだ分かるが、人が乗って時速150キロメートルで走る車を作るというのは、なかなか想像がつかない。

KRTのメンバーに話を聞くと、すべてのパーツを自分で作るわけではないらしい。フレームや車体は自分で設計して作るものの、エンジンやタイヤやブレーキキャリパーやベアリングなどのパーツは設計に合ったものを選んで購入している。町工場に制作を外注することもあるそうだ。

だが、購入や外注といっても、そこまでお金が潤沢にあるわけではない。そこで、企画書を書いて実際に企業の担当者に会って、スポンサーになってもらえるよう交渉している。スポンサーになってもらえれば、欲しいパーツが割引や無償で提供してもらえるからだ。

宮田さんは「学校からもらえる予算ではぜんぜん足りないので、部費として一人あたり毎月数千円を集めています。それでも足りないときは臨時で徴収します。めちゃくちゃ忙しく働いたうえに、たくさんお金も払って活動してます」と笑う。タフなのだ。

前述のソーラーチームは、濱根監督をはじめ学長や大学職員も学生とともにスポンサー企業を訪問してお金を集めていると聞いたが、ＫＲＴではそのようなことはないのだろうか。

宮田さんによれば、ＫＲＴには監督はいないし、本当に学生だけの活動なので、顧問の先生がお金集めをするようなことはないそうだ。

だから、スポンサー企業とも学生が直接やりとりをしている。欲しいパーツがある人がそれぞれ企業に直接連絡して賛助をお願いしている。スポンサーになってくれた企業に対しては、ロゴのステッカーを車体に貼り、毎月、活動報告書を送っている。大会後には結果報告と翌年の支援もお願いしている。学生なのに、まるで民間企業の営業のように丁寧な連絡をとっている。


やりたいことがあるときに資金難がネックになるのは、学生でも社会人でもあまり変わらない。同席していた大学職員の方が「我々も状況は把握していますが、予算ばかりはどうしようもなくて」と口を挟むと、井上さんが次のようにフォローをしてくれた。

「ほかの大学の話を聞くと、ＫＲＴはかなりもらえているほうなんです。『学生プロジェクト』であるＫＲＴは、活動支援予算を大学からいただいています。製作工房があって工具もそろっていて、環境も整っています」

宮田さんも同意する。

「２０１９年大会で総合２位になった某国立大学のチームに話を聞いたら、製作のためのスペースを借りて場所代を払っていると言っていました。２位になっても大学が宣伝をしてくれるわけでもないそうで、うちの大学は成績上位でもないのに広報の方が大会を見に来てくれて、ウェブサイトにレポートをアップしてくれて、すごく恵まれていると思います」

気まずくなりかけた空気が元に戻った。フィクションのなかでは理系の研究者やエンジニアはしばしばコミュ障の変人に描かれるが、実際は全然そんなことはなかった。むしろ文系の大人が気まずく沈黙してしまったところを、学生に救われたかたちだ。

ＫＲＴのフォーミュラカーのエンジンは、ホンダから提供されたものだという。

だが、取材が終わってしばらくしてから、ホンダは２０４０年までに新車をすべて電気自動車（ＥＶ）と燃料電池車（ＦＣＶ）で販売するという目標を掲げた。

かつて「エンジンのホンダ」と呼ばれたほどの企業でも、脱炭素の波には逆らえないらしい。ホンダは２０２１年シーズンを最後に、Ｆ１レースの舞台からも撤退することを表明している。

実は学生フォーミュラ日本大会にはすでに、ガソリンエンジン（ＩＣＶ）部門とは別に、電気自動車（ＥＶ）部門が存在する。そして、電気自動車部門で３連覇中の名古屋大学は、総合でも３位を獲得していて、電気自動車がガソリン自動車にひけをとらないことを見せてくれている。

20～30年後には、学生フォーミュラ日本大会からガソリンエンジン部門がなくなるようなことがあるかもしれない。仮にそのような未来が到来したとしても、ＫＲＴのメンバーになるような彼らは電気自動車を楽しんで作っているような気がする。

実は私はいまだに自動車免許を取得していないくらい車に興味がないのであるが、ＫＲＴの取材はたいへんに楽しく感動的なものだった。作っているものは違っても、ものづくりの職人魂に共感したのだ。

取材後、子どもの頃にフォーミュラカーのミニカーが大好きでよく遊んでいたことを思い出した。ノーズ部分とテール部分が外れて３つに分割する玩具で、ほかの車体と付け替えて変身を楽しんでいた。とても幸せな時間だった。懐かしくなってググってみたけど何も出ない。あのミニカーを作ったのも、どこかのものづくりの職人なのだろう。今さらながら、その人に御礼を言いたいと思った。

学生フォーミュラ日本大会におけるKRTの戦績

1	2003	不出場
2	2004	不出場
3	2005	31位/41チーム
4	2006	24位/50チーム
5	2007	54位/59チーム
6	2008	43位/62チーム
7	2009	45位/63チーム
8	2010	17位/53チーム
9	2011	32位/55チーム
10	2012	20位/72チーム
11	2013	22位/77チーム
12	2014	21位/90チーム
13	2015	26位/90チーム
14	2016	不出場
15	2017	不出場
16	2018	84位/92チーム
17	2019	35位/89チーム
18	2020	中止
19	2021	中止（静的審査のみ実施）、代替開催予定

●インタビュー

工学部　電気電子工学科　電気電子機能材料研究室
鷹野一朗　工学部長

工学院大学には先進工学部、工学部、建築学部、情報学部の4学部があるが、ソーラーチームも、KRTも、メンバーのほとんどは工学部の学生だ。

やはり自動車といえば工学部のイメージが強い。そもそも2005年までの工学院大学には工学部しかなく、もともと工学部のなかにあった情報学科や建築学科が独立発展して、現在の4学部にまで広がったのだ。

ところで工学部とは何を学ぶところなのか、工学部長の鷹野一朗教授に話を聞いた。

鷹野：理系の学問は大きく分けると理学と工学に分かれます。理学とは数学とか物理とか化学などの理論的な分野を扱うもので、工学は自動車とかロケットとか発電所とか、ものづくりをベースとした、実践的な分野を扱います。だから工学部は企業との関わりも深く、就職率も高いのです。

日本に初めて作られた工学を教える教育機関は、1871（明治4）年設立の工部省工学寮だ。これが6年後に工部大学校に改称され、さらに9年後の1886（明治19）年に帝国大学工科大学となった。のちの東京大学工学部である。

次に作られた工学教育機関は、1881（明治14）年設立の、東京職工学校である。こちらはのちに東京工業大学となる。

そして日本で3番目の工学教育機関として1887（明治20）年に設立されたのが、工手学校だ。のちの工学院大学である。

工手学校は、研究中心の帝国大学工科大学、教員養成の東京職工学校に対し、実際に現場で働く工手（エンジニア）養成の学校が必要であると、帝国大学の渡邉洪基総長らの主導でつくられた教育機関だ。

当初、渡邉氏は国立の教育機関として構想したが、資金がないと政府に拒絶されて、仕方なく寄付を募って私立学校として設立するに至った。このように見ると、工学院大学の歴史は相当に古く、由緒正しい。

とはいえ、今の学生に、工学院大学は明治20年設立の歴史ある学校と言っても、あまり響かないだろう。問題は、今、どのような学校であるのかだ。

鷹野教授は、2020年まで6年間にわたって副学長を務めていたこともあり、大学をどのようなものにしていくかという問題にも造詣が深い。
また、鷹野教授はソーラーチーム監督の濱根教授と同じく、工学院大学の出身者だ。しかも、学部から大学院までずっと工学院大学で学び、博士課程修了時にそのまま工学院大学で助手となっている。
40年以上も工学院大学に在籍しているわけで、大学に対する思いも人一倍強いはずだ。

鷹野：ずっと工学院大学にいるのは、たまたまです。私はもともと大学教員になるつもりはなく、日本原子力研究所（現在の日本原子力研究開発機構）で核融合エネルギーの研究をしたいと思っていました。そこには博士号を取得しなければ入れないので、がんばって博士号を取得して、指導教授に推薦状を書いてくださいと言ったら、来年助手の席が一つ空くからおまえは残れと言われて、そのまま現在に至ります。若いときはみんなそうだと思いますが、最初はあまり教育に興味がなく、研究のほうに関心がありました。でもだんだんと教育が大切だと感じるようになり、特に私は出身者なので、後輩をしっかり教育しなければと思うようになって、ちょっと厳しいくらいに指導しています。

そんなに「厳しい」という評判が立ったら、履修学生が少なくなるのではなかろうか。

鷹野：私の回路理論の授業は必修科目なので、電気電子工学科の学生は避けて通れません（笑）。

口調や言動は非常に穏やかなのに、学問に対する姿勢は熱く真摯なものを感じる。

鷹野：教えることが楽しくなったのは助手になってからです。何かを教えて、学生が「分かりました」と言うのを聞くとうれしいと感じるようになりました。学生が口で「分かりました」と言っていても、表向きそう言っているだけなのか、心底理解しているかの違いも分かるようになって、きちんと理解したのを見ると、教えていて良かったと思います。

では、学生のほうは教わる喜び、理解する喜びをきちんと感じているのだろうか。

鷹野：学生が大学に求めているものは、直接的にいえば「就職」です。「大学が就職のための機関になっている」と嘆く先生もおられますが、たとえ学生の目的がそうだとしても、就職するためには大学でそれなりに学ばなければならない。就職したあとも自分なりに勉強をして成長していくような人を育てるのが大学の役割だと考えています。

大企業に入ったからそれでOKというのではなく、大企業でなければ駄目だというのでもなく、どんな企業であってもそこでしっかりとやっていける能力、どんなところにいっても成功できる能力を身につけさせられれば、大学教育の意味があります。

それでは、工学院大学は、研究よりも教育に軸足をおいているといっていいのだろうか。

鷹野：大学の教員の役割は教育と研究が両輪ですが、研究側に寄ってしまう人もいれば、教育に力を入れる人もいます。ただし、基本的に大学教員の待遇は研究業績で決まるので、ある程度論文を書かないと昇進できません。だからといって研究ばかりしていて学生との対話をおろそかにすると学生からの評価が悪くなります。一方、学生を巻き込んだ研究は教育でもあり、今は教育と研究をバランスよくこなさないと評価されません。

学生との対話というのは、それぞれの学生がもついろいろな悩みに耳を傾けることです。今の学生は多様性があるので、号令をかけると一人で走っていく学生もいれば、こちらで手をひっぱってあげなければ動けない学生もいます。学生の育ち方にもいろいろな背景があるので、個々の学生に合わせた対話が必要です。また、公平性も大切で、どの子にも同じように声を掛けて、最終的には全員を一定レベルにまで持ち上げないといけない難しさがあります。

教育に力を入れているというだけあって、鷹野教授はとても真摯に学生に向き合っているようだ。では、教育をしやすいのはどのような学生なのだろうか。

鷹野：やる気のある学生ですね。私の所属する電気電子工学科でいえば、工業高校から来た学生が伸びます。工業高校では英語や数学といった科目の授業時間が少ない反面、専門科目を学んできており、クラスに多様性をもたらしていい刺激になっています。彼らは英語や数学の授業ではおとなしいのですが、実技や実験になると目を輝かせて、自分の出番とばかりに力を発揮します。そういう意欲のある学生は伸ばしてあげたいし、きちんと教育してあげれば実際に伸びていくので教えていて楽しいですね。工業高校出身で成績がトップになった学生もいます。

工業高校や工学部は人気が落ちているという話も聞く。実際はどうなのだろうか。

鷹野：以前、推薦入試で本学への入学が決まった高校生の入学前教育のレポートを添削している際に、「自動車は情報産業」と記述した生徒がいました。自動車はエンジンの技術がすごく特殊だったので機械工学の得意分野でしたが、今の電気自動車はソフトウェアでモーターをコントロールしていたり、次世代ではGPSで自動運転を制御したり、どちらかといえば情報学のイメージに変わってきているんですね。大手自動車メーカーが、工学ではなく情報学を学んだ学生の採用比率を引き上げたという話も聞きました。うかうかしていると工学部を志望する学生が少なくなってしまうので、工学と結びつけた情報学を組み込んで、高校生だけでなく就職先の企業にも注目してもらえるようにしなくてはならないと考えています。

工学部で機械を学びたいと入学してくる学生には、車好きが多いと聞く。そして、工学院大学に入学した生粋の車好きは、学生プロジェクトであるソーラーチームや工学院レーシングチームに入ることが多い。メンバーのほとんどは工学部生だ。

鷹野：大学から活動支援費が出る学生プロジェクトは、学生が自分たちで目標をたててマネジメントをし、大学に対して予算申請と決算報告もするというもので、グループワークのいい勉強になっています。まさに、企業の求める人材が育つ枠組みになっているのではないでしょうか。

大学のメリットは講義そのものよりも、多様な人々との出会いにあるという人もいる。サークル活動や部活動や学生プロジェクトの活動を楽しみに大学に通う人もいるだろう。教育や研究といった単純な二分割ではなく、多くの要素が混然一体となって大学の魅力をかたちづくっているらしい。

Project

3

大気圏を突破して、会いに行きたいのは火星人!?

——宇宙開発の礎を築く「モデルロケットプロジェクト」

●宇宙を夢見る学生たち

車は日常的に使うが、ロケットを使う人はほとんどいない。だから、車と比べればロケットに興味をもつ人は少ないだろう。

そもそもロケットが何のために必要なのかを知らない人も多い。もちろん宇宙に行くために必要なのだが、じゃあ宇宙に行って何をするのかといえば、興味のない人は驚くほど何も知らない。

何を隠そう私のことだ。人類が初めて月に行った１９６９年にはまだ生まれていない。スペースシャトルの打ち上げを映像で見たことはあるが、シャトルとロケットの区別もついていない。日本人宇宙飛行士がしばしばニュースになるので名前は知っているが、なぜ宇宙に行くのか、いまひとつよく分かっていない。

そういう人がほかにもいるかもしれないので、ここで簡単に説明する。多少不正確な部分があっても許してもらいたい。

まず、宇宙に行くのはとても大変である。なぜかといえば地球の重力がたいへんに強いからだ。そこで非常に強力な推力をもつロケットで宇宙空間まで行かねばならないが、相当遠くまで飛ばさないと、推力がなくなった時点で重力にひっぱられて落ちてくる。これを狙いどおりの地点に落とすようにした兵器が弾道ミサイルだ。

落ちないようにするには、重力にひっぱられて落ちる角度と、地球のカーブとが同じになるくらいの速度で水平方向に飛ばす必要がある。そうなればモノは落ちずに地球を周り続ける。これが衛星軌道だ。人工衛星を衛星軌道に乗せるためには、マッハ23、つまり音速の23倍（1秒間に7・9キロメートル進む速さ）で打ち上げる必要がある。

だが、この速度で物を飛ばすと大気との摩擦熱で燃え尽きてしまう。だから、地上から200キロメートルの大気圏外まで打ち上げてから衛星軌道に乗せる必要がある。これらを実現するため人工衛星を宇宙まで運ぶのがロケットだ。

ちなみにロケットの総重量の約9割は燃料が占めている。それだけの燃料を燃やさなければ地球の重力を脱出するだけの推力が得られないからだ。

また、スペースシャトルはロケットではなく、宇宙空間から人が帰ってくるために使う宇宙船で、人工衛星のようにロケットに搭載して飛ばすものだ。もちろんスペースシャトル自体にも推進装置はついているが、それだけでは宇宙まで行けない。

整理すると、ロケットとは、人や物を宇宙に飛ばすためのエンジンと燃料が一体化した推進体で、一度使うと燃料がなくなってゴミになる。詩的にいえば、いちどきりの命をわずかな時間で燃やし尽くす、使い捨ての労働者だ。

そんなロケットに魅せられる人々がいる。

電気自動車のテスラCEOのイーロン・マスク氏もその一人だ。彼が創業したスペースXのロケット「ファルコン」はNASAと契約して、宇宙飛行士や物資を国際宇宙ステーションISSまで運んでいる。

アマゾン・ドットコムの創業者ジェフ・ベゾス氏が立ち上げたブルーオリジンも、将来の有人宇宙飛行を目的としてロケットの打ち上げ実験を行っている。

日本でも、ライブドア創業者の堀江貴文氏が設立したインターステラテクノロジズがロケットの開発と打ち上げを続けている。このインターステラテクノロジズは、漫画家やSF作家やイラストレーターが「ロケットを作りたい」と集まった社会人団体「なつのロケット団」が起源となっている。代表取締役の稲川貴大氏は、もともと「なつのロケット団」のロケット打ち上げの手伝いに来ていた東京工業大学の学生だ。在学中には鳥人間コンテストに出場する人力飛行機の設計や、ハイブリッドロケットの打ち上げサークルの立ち上げなどを行っていた。卒業後は大手メーカーへの就職が決まっていたが、堀江氏にくどかれて内定を断り、インターステラテクノロジズに入社したという。

彼らのように空と宇宙に魅了される学生は少なくない。

2019年、南カリフォルニア大学の学生団体USCRPLが打ち上げた小型ロケット「トラベラーⅣ」が、高度100キロメートルの宇宙空間に到達したとのニュースが世界をめぐった。学生の飛ばしたロケットが宇宙空間に到達したのは史上初だった。

この「トラベラーⅣ」は固体燃料を使用したロケットだったが、オランダのデルフト工科大学の学生団体DAREは、制御の難しいハイブリッドロケットで、2021年夏に学生初の宇宙空間到達を目指している。デルフト工科大学といえば、国際ソーラーカーレースのBWSCにおける優勝常連校として有名だが、ロケットの分野でも名を馳せているようだ。

工学院エアロスペース・アドベンチャーズ

かつて工学院大学にはロケットの打ち上げを目的とする学生団体は存在しなかった。ところが、2018年に一人の学生が立ち上がり、ロケットの開発を行う団体、工学院エアロスペース・アドベンチャーズ（KASA）を立ち上げた。しかも、ただのサークルや同好会にとどまらず、大学から活動支援金をもらうために、学生プロジェクトとしての申請を行い、認可を受けたのだ。

モデルロケットプロジェクトとして知られる、この学生プロジェクトを企画したのは、当時はまだ1年生だった川久保辰真さん（先進工学部機械理工学科）だ。

4年生で卒業間近になった川久保さんに、どのような思いで設立したのか聞いてみたところ、意外な答えが返ってきた。

「ロケットにはあまり明確な思い入れはありませんでした」

「じゃあ、なぜモデルロケットプロジェクトを設立したのですか？　大変なのに」

「まさにそれで、大変だからこそ挑戦してみたかったのです」

「つまり学生プロジェクトの設立が目的だった？」

「そうです。自分は高校が進学校で、志望大学の受験に失敗して工学院大学に来ました。それでずっと悶々としていて国立大学への3年次編入を考えていたとき、とある先輩に『力が余っているなら学生プロジェクトをやってみたら』と勧められたんです」

「それはまた、ずいぶん急激な方向転換ですね」

「かなり悩みましたが、自分の表紙作りをするより、まずは自分の中身を作ることに専念しようと考えて、編入受験をやめて学生プロジェクトを立ち上げることにしました」


ちょっと驚いた。

モデルロケットプロジェクトを立ち上げたと聞いて、子どもの頃からロケットが好きだという人を想像していたのだが、プロジェクトの立ち上げ自体が目的だったのだ。

そういえば、これまでに話を聞いてきたベンチャー企業の創業者も、事業内容が好きというよりは起業したいという思いが強い人が多かった。

たしかに、ロケットが好きというだけなら、インターカレッジのロケット団体に入る手もあるし、何もわざわざ自分で立ち上げるなんて茨の道を進まなくてもいいのだ。

川久保さんは「自分で作って、自分で踏み出したいという思いがあったので、既存の団体に入ることは考えませんでしたね」と言うが、団体設立は簡単ではない。

「顧問の先生も自分の学科ではぜんぜん見つからなくて、何十人にもお願いしてようやく引き受けていただけました。2年生の5月のときに大学へのプレゼン審査があったのですが、その段階では通るとは思っていなかったので、1カ月後に合格という連絡があったときは、逆にびっくりしました」

シンプルながら奥が深いモデルロケット

こうして、モデルロケットプロジェクトこと、工学院エアロスペース・アドベンチャーズ（KASA）が立ち上がった。

モデルロケットとは、簡単にいえば小型ロケットのことだ。実際のロケットと飛行原理は同じだが、手で持てるほどに小型の模型で、ホビーや教育用途で使われることが多い。

小型ロケットとはいえ、大型ロケットと原理は同じなので、うまく打ち上げれば宇宙空間まで飛ばすことも不可能ではない。NASAでもモデルロケットを使って、ロケット打ち上げの訓練をしている。

通常、モデルロケットといえば火薬などの固体燃料を使用したロケットの小型版を指す。おもちゃ屋で売っているロケット花火が、最も原始的な固体燃料ロケットだ。燃料を燃やして出るガスの噴出の反作用で前へ飛ぶのだ。

固体燃料ロケットは構造が単純で取り扱いが容易だが、燃料の燃え方をコントロールするのが難しい。そこで、燃料を適宜注入することで燃焼量を調整できる液体燃料ロケットが作られた。液体燃料は固体燃料に比べて軽いので、打ち上げにも有利だ。

だからといって固体燃料ロケットが使われなくなったわけではない。低コストの固体燃料ロケットは、宇宙開発の予算が少ない日本で特に発達した。あの小惑星探査機「はやぶさ」を打ち上げたのも固体燃料ロケットである。

液体燃料ロケットは複雑で高コストなので、学生団体の多くは、固体燃料のモデルロケットか、もしくは固体燃料と液体燃料を組み合わせたハイブリッドロケットを取り扱う。初心者が取り組みやすいのはモデルロケットのほうだ。

モデルロケットには競技大会もある。

特定非営利活動法人 日本モデルロケット協会が年2回開催するモデルロケット全国大会だ。小惑星探査機「はやぶさ」のプロジェクトなど、宇宙開発を行う国立研究法人 宇宙航空研究開発機構（ＪＡＸＡ）との共催で、ＪＡＸＡの筑波宇宙センターで開かれている。

競技は3種目。どこまで高く打ち上げられるかを競う高度競技と、パラシュート滞空時間競技と、パラシュート定点着地競技だ。

最も小さいタイプでも100メートル以上も上昇するモデルロケットは、落下時の安全を考慮して、たいていパラシュートが備えつけられている。単純に高度だけでなく、パラシュートを設定どおりに開いて、目的の地点に着地させてロケットを回収するのも大切なポイントだ。パラシュートが開かずに墜落することもよくある。

1957年にアメリカではじめてモデルロケットが作られた頃、当時の理工系学生は火薬を使った自作ロケットで打ち上げ実験を行っていた。そこで事故や怪我が頻発していたため、青少年が安全にロケット実験できるように作られたのが、モデルロケットだったのだ。

モデルロケット全国大会には、中学校や高等学校からも多くのチームが参加する。高校生だけを対象にしたロケット甲子園という大会まであるくらいだ。

やる気さえあれば参加のハードルは低いが、勝敗には経験の差が大きく影響する。63チームが参加した2018年秋のモデルロケット全国大会に初出場したKASAは成績上位には入れなかった。

ロケット打ち上げ競技では特に、実際にロケットを飛ばして得られたデータからの改良や修正が重要だ。しかし、日本ではロケット打ち上げに対しての安全基準が非常に高いため、簡単に何度も打ち上げ実験ができない。

まず、モデルロケットの打ち上げには、エンジンの大きさに見合ったライセンスの取得が必要だ。打ち上げ時には小型エンジンの場合でも半径20メートルを立ち入り禁止にしなければならないし、到達高度が250メートルを超える場合は事前の届け出も必要になる。

日本の安全基準の厳しさが、ロケットに対する青少年の興味関心の拡大と、モデルロケット普及の足かせになっているのかもしれない。

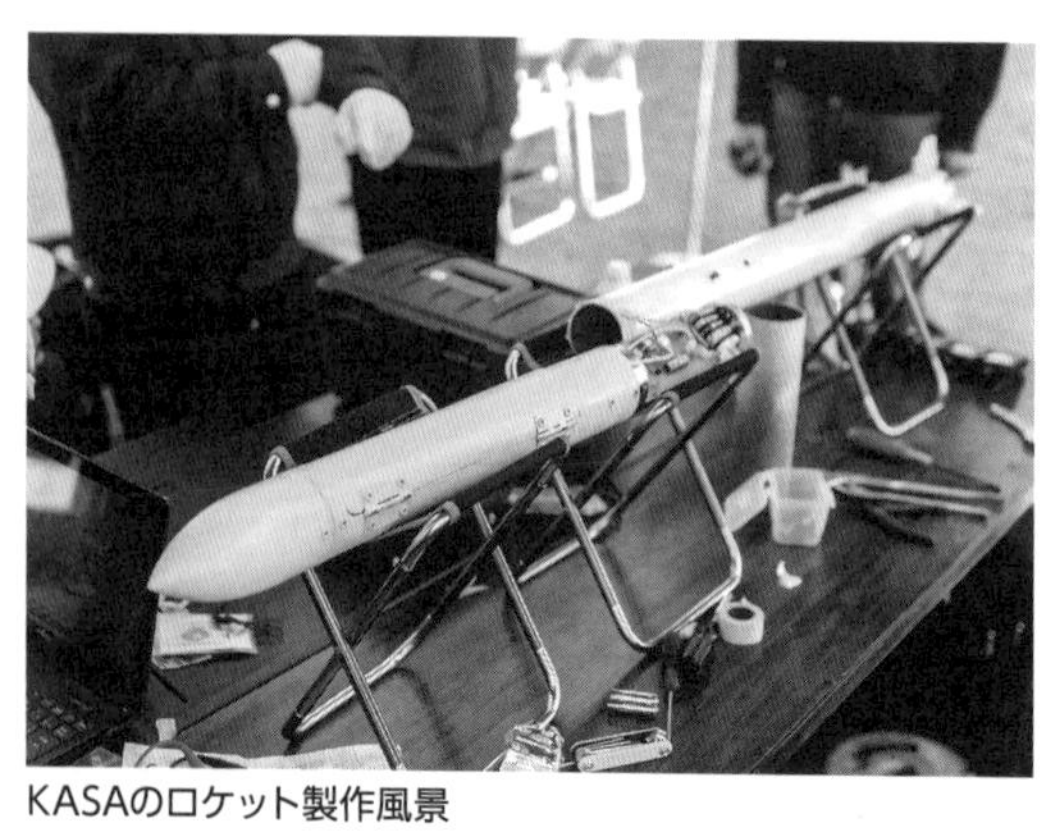

KASAのロケット製作風景

特定非営利活動法人 日本モデルロケット協会のウェブサイトによれば、火薬エンジンを使用したモデルロケットの時速はおよそ180キロメートルにもおよび、この50年間に全世界で5億回以上も打ち上げられているという。

2年に1度世界大会が開催されていて、個別競技では過去2回、日本人選手が金メダルを獲得している。NPO法人なのでウェブサイトの完成度が高いとはいえないが、もっとモデルロケットが広まってほしいという気持ちがよく伝わってくるつくりだった。

ハイブリッドロケットの打ち上げ

製作キットまで販売されているモデルロケットの打ち上げは、大学生であればそれほど難しくないが、川久保さんはより高い目標にチャレンジするため、ハイブリッドロケットの製作に取り組みたかった。

だが、立ち上げたばかりの団体がハイブリッドロケットを製作して打ち上げるのは困難だ。とある人からは「打ち上げに成功するには10年かかる」とまで言われた。初めてのハイブリッドロケットの打ち上げは「9割がた失敗する」のだそうだ。

しかし川久保さんは1年目からハイブリッドロケットを打ち上げることにこだわった。モデルロケットの打ち上げだけで終わってしまったら、学生プロジェクトの設立という挑戦をした意味がないと考えたのだ。

「初年度の熱のあるうちにハイブリッドロケットの打ち上げまで行かないと、翌年からはもうできないような気がした」と語る川久保さんは、メンバーを焚きつけて急ピッチでハイブリッドロケットの製作を進めていった。

結果、わずか10か月でハイブリッドロケットを完成させることができたが、その代償は高かった。

「ずっと作業、作業の連続で、みんなが堪えられずにどんどんやめていって、立ち上げ時は

20人くらいいたメンバーが半分に減ってしまった」

それでも川久保さんには後悔はなかった。たとえ失敗しても、実際に製作して打ち上げまで持って行けたという経験が団体の財産になると考えていたからだ。

何としても自分の在学中にハイブリッドロケットを打ち上げようという目標を掲げた川久保さんは、さまざまな企業を回って資金援助を依頼し、２０１９年に伊豆大島に広がる砂漠から、ＫＡＳＡ製作のハイブリッドロケットの打ち上げに見事成功した。

なぜ伊豆大島かといえば、やはり安全性を考慮しての話になる。ある程度の大きさのロケットを打ち上げるとなると、広々とした空き地や海上などを使用せざるを得なくなるので、都市部を離れて場所を探さねばならない。

幸いなことに伊豆大島では、全国の大学生が集まってハイブリッドロケットの打ち上げ実験を共同で行う「伊豆大島共同打上実験」が年に2回行われている。

伊豆大島共同打上実験は、大島町の方々の協力をあおいで学生たちが企画・運営を行っているイベントで、毎回２００人近くの学生が参加している。ＫＡＳＡはこのイベントに参加することで、ハイブリッドロケットの打ち上げに必要な設備や場所を借りることができたのだ。

ロケットから見えるもの

ハイブリッドロケットの打ち上げ実験には成功したものの、川久保さん一人の情熱で進めたようなところもあって、彼が引退したあともモデルロケットプロジェクトが継続できるかどうかを心配する声が大学内にはあった。

なにしろ大会前や大学が休みの期間には、8時〜20時までの12時間、工房に入って製作を続けることが2〜3週間も続いていたのだ。よほどロケットが好きでなければやってられない。

存続が危ぶまれた団体をうまく受け継いで継続を可能にしたのが、現代表の飯岡陽介さん（工学部電気電子工学科）と副代表の小木曽巧一さん（工学部電気電子工学科）だ。

2年生の彼らが運営を引き継いだ2020年は、運悪く新型コロナウイルス感染症の影響があった。そのため新入生の勧誘が十分にできず、現在のメンバーは12名しかいない。

少人数の組織で円滑に運営を行うためには、メンバー間の合意形成が重要だ。

飯岡さんは、各イベントに参加するかどうかをメンバー間の投票で決めることにした。全員の合意が得られなければ無理に参加はしない。逆に、参加するとなれば、それぞれがある程度、交通費や宿泊費を負担することになる。

やはり、ロケットが好きでなければやっていけない。

ロケットに明確な思い入れがないと語っていた川久保さんだが、興味がないわけではない。昔から、電車とか飛行機とか乗り物が好きだった川久保さんは、ロケットの打ち上げも見てみたくて、高校生のときに種子島までH2Aロケットの発射を見学に行ったそうだ。将来はロケットの開発に携わるのもいいけれど、哲学や芸術にも興味があるので、航空宇宙工学という枠組みには縛られたくないのだという。春からは東工大大学院に進学するが、その後の進路は未定だ。

一方、飯岡さんは出身が茨城県常総市で、子どもの頃は隣町にあるJAXAの筑波宇宙センターによく遊びに行っていた。その縁でロケットが好きになったという。

小木曽さんが宇宙に興味をもち始めたのは、2010年に小惑星探査機「はやぶさ」が7年ぶりに帰還して話題になったときだ。「でも、いちばん好きなのは鉄道ですね」と小木曽さんが言うと、「ぼくも鉄道がいちばん好き」と川久保さんが笑った。

ちなみに2010年の「はやぶさ」の帰還は3度も映画化されるほど話題になったが、2020年の「はやぶさ2」の帰還はあまり話題にならなかった。

その理由はおそらく「はやぶさ2」が完璧な運用で予定どおりにミッションをこなしたのに対し、「はやぶさ」初号機がアクシデントだらけでほぼ失敗の瀬戸際から辛くも帰還したからだ。困難が多いほどドラマ的には面白くなる。二番煎じではなく、初めての挑戦というのも良かった。だから川久保さんの学生プロジェクト設立も聞きごたえのあるものになった。

余談だが、この「はやぶさ」計画の発端には、理学系研究者と工学系研究者との確執があったという。以下は、的川泰宣JAXA名誉教授が書いた『ニッポン宇宙開発秘史』に載っていた話である。

1985年、ハレーすい星探査機の打ち上げに一緒に取り組んでいた研究者たちが、酒が入ってお互いの研究を冷やかし始めた。太陽系の始まりを研究する理学系研究者を、工学系研究者が「45億年も前のことなんて分からない」とからかうと、理学系研究者が「小惑星には45億年前の物質が手つかずで眠っているが、日本の工学技術が低いから取り出せないんだ」と反論して、工学系研究者を怒らせた。発奮した工学系研究者が立てたのが、小惑星探査機「はやぶさ」計画だったそうだ。たまには喧嘩もしてみるものである。

一人でなんでもやってしまいそうな川久保さんだが、仲間に対する思い入れは人一倍あるようで「いまここにいる2人の後輩の存在がすごくありがたい」と語った。

マイペースと見られてしまうことがある川久保さんだからこそ、余計に仲間のありがたみが感じられるのだろう。「コロナの影響があって、今後の運営も難しいと思うけど、同じ志をもって続けてくれていることに感謝している」と、何度も後輩への気持ちを口にした。

逆にいえば、せっかく立ち上げた学生プロジェクトが、続かずに終わってしまう可能性も十分にあったのだ。実際、工学院大学ではこれまでにいくつかの学生プロジェクトが消滅している。団体というものは、立ち上げることも大変だが、続けることも大変だ。特にメンバーが短期間で入れ替わらざるを得ない大学では、継続的に新入生を募集して育てていかねば団体の未来はない。

川久保さんの制作した「空に挑め」というチラシを見て入部した飯岡さんは別として、たいていの学生はロケットの打ち上げにそれほどの興味はもっていない。ＫＡＳＡの醍醐味をどのようにして新入生に伝えるかを新旧の代表に聞いてみた。

川久保さんは次のように語った。

「ソーラーカーやフォーミュラカーは製作物がずっと残る。でもぼくらは数百時間使って製作しても、打ち上げはたった15秒で終わってしまう。でもその15秒にかける思いの凝縮度はどのプロジェクトにも負けないし、その喜びをみんなにも味わってほしい」

飯岡さんの答えはこうだった。

「飛んでいる飛行機から窓の外を見ると、日常見ているのとは異なる景色が見えて、初めての人はたいていい感動します。ぼくたちもロケットから空撮をして、そこからしか見えない景色を見ました。ロケットから見える空の美しさを、ぜひみなさんにも知ってほしいです」

宇宙飛行に関する知識の9割を『宇宙兄弟』から得ているような私にも、彼らの思いの純粋さは伝わってきた。人数が少ないので存続が危ぶまれているが、ぜひ末永く続いてほしい。

●インタビュー

工学部　機械工学科　スポーツ流体研究室
伊藤慎一郎　学長

大学の学長とはどのような存在だろうか。

小学生並みの回答をするなら「大学でいちばん偉い人」である。

なにしろ、肩書きからして「大学の長」であるし、どの大学の広報誌を見ても、大学の顔として学長が登場している。学長は、小中高等学校における「校長」であろうし、会社における「社長」である。

そんな曖昧な知識で工学院大学の学長に面会したところ、のっけから正された。

少なくとも工学院大学においては、学長は「大学のリーダー」ではあっても、「大学でいちばん偉い人」ではなかった。

工学院大学のような私立大学は、法律上は学校法人という組織になる。

この学校法人という組織のリーダーは理事長と呼ばれ、学長よりも大きな権力をもっている。たとえば工学院大学の経営を行う理事会において、学長は理事の一人であり、理事長よりも肩書きでは下に位置する。

大学によっては、理事長が学長を兼ねることもある。国立大学法人や早稲田大学などでは理事長と学長を兼ねた総長という役職がある。

だが工学院大学では理事長と学長は別であり、学長は、理事長を含む学長選考会議によって選ばれる。その学長選考会議によって、２０２１年に新たに工学院大学学長に選ばれたのが、工学部の伊藤慎一郎教授だ。

学長は基本的に、その大学に所属する教授のなかから選ばれるため、「大学でいちばん偉い人」でないとしても、「教授のなかでいちばん偉い人」に位置する。

「偉い人」に会うのだなあという意識で工学院大学新宿キャンパスに行ったら、出てきたのは、偉ぶったところのない腰の低い方だった。事前に写真や文字で拝見していたものの、メディアを通すと多くの情報が抜け落ちることにあらためて気づかされた。

伊藤学長は、とにかく柔和で、レベルの低い質問にも丁寧に答えてくれた。教員という職業柄、人にものを教えることには慣れているのだろう。

最初に教えてくれたのが「理事長と学長の違い」である。

伊藤：理事長は大学の経営を行う人で、学長は運営を任されています。簡単にいえば、理事長がお金をもっていて、学長はお金をもっていないんです。だから、運営のための企画を考えて「お金を用立ててください」と、理事長に頼むのが学長ですね。おそらくテレビ番組におけるプロデューサーとディレクターの違いのようなものだと思います。

実は伊藤学長は、ＴＢＳ「ザ・ブレインサミット」、日本テレビ「世界一受けたい授業」、テレビ朝日「タモリ倶楽部」など数多くのテレビ番組に出演経験のある人気教授だ。取材のあとで番組映像を見せてもらったところ、基本的には伊藤学長の研究の素晴らしさを紹介しつつ、その言動にテレビタレントが突っ込みをいれて笑いを誘うテレビ的な演出が施されていた。そのようないじり方を許容してくれるお人柄なのだ。

それで伊藤学長は、工学院大学をどのような大学にしていきたいのか。

伊藤：ひとことで言うなら「夢のある大学」です。学生にも、教職員にも「夢」を与えたいですね。そもそも本学は「夢」を大切にする学校です。本学の創始者の渡邉洪基先生の墓石には、名前ではなく「夢」の一文字だけが書かれていますし、附属中学校・高等学校の文化祭も「夢工祭」と名づけられています。ですから本学に入学する方には「大きな夢をもって、それを叶えましょう」と伝えていきたいです。若者の夢が叶えられる大学をつくっていきたいですね。

「夢」とはまた素敵な言葉である。

札幌農学校(現北海道大学)の初代教頭としてアメリカから招かれたクラーク博士が、帰国時の挨拶で話した「少年よ、大志を抱け(Boys be ambitious)」を彷彿とさせる。

だが「夢」という言葉は耳に優しいだけに、人の心にひっかかることも少ない。プロ野球選手になりたいなどという子どもの頃の「夢」は叶わないこともある。

なぜ「夢」が大切だと感じるのか、もう少し真意を知りたい。

伊藤:私自身が夢をもつことによって救われてきたからです。私は鹿児島県の出身で、中学受験で中高一貫校のラ・サール学園に入学しました。当時のラ・サールは、西日本で一、二を争うようなエリート進学校です。ところがエリートばかりが集まっているから、私の中学時代の成績はほとんど最下位でした。それで高校入学時に「自分の人生はこれで本当にいいのか、この先どのように生きていきたいのか」と問いなおして、小学生の頃の夢を思い出したんです。

私は子どもの頃から自然界のいろんなことに興味をもっていて、科学者になりたかったんです。ところが中学での理科の成績は最悪でした。あんなに好きだったのになんでこんなふうになっちゃったんだろうと自分を悔いて、一念発起して中学校の勉強をやり直すことにしました。

高校入学前の春休みの二週間に、英語と数学と理科の教科書を中学1年生から3年生の分まですべて読みなおしたところ、本当に目から鱗でした。それでようやく、先生が授業で話していることが理解できるようになったんです。「夢」があれば、人はやり直せるんです。

たしかに、文系進学者の中には、中学校から急に数学や理科が難しくなってついていけなくなったという人が多い。数学や理科は積み重ねの教科だから、基礎ができていないと、高校に入ってからも理系科目が理解不能になってしまう。

伊藤学長は、高校入学時に中学の勉強をすべてやり直すことで何とか追いつき、高校卒業時には学年で20位（当時の最高偏差値は83）、物理の成績は学年トップになって、東大理Ⅰに現役で合格した。「夢」の力で人生をやり直すことができたのだ。

それで、いまは夢を叶えて科学者になれたというわけだ。

伊藤：ところが、そんなに簡単な話でもないんです。大学では工学部機械工学科に進学し、大学院の修士課程まで卒業したのですが、その時点でもう科学者になる気がなくなっていて、大手自動車メーカーに就職したんです。

あれ？　科学者になるという夢はどうなったのだろうか。

伊藤：「夢」のかたちって不定形なんですよ。自分の好きなこと、したいことがあって、それは必ずしも科学者というかたちにだけ限定されるものでもなかった。だから当時は博士課程に進学して学者になるよりも就職したほうがいいような気がしたんです。ところが実際に働き始めてみると、工場に配属されてライン管理という仕事がまったく自分に合わなくて、向いてないなと思って1年で辞めてしまいました。もちろん周囲にはたいへん反対されました。せっかくいい会社に入れたんだからもう少し我慢しろとか、3～4年経てば配置転換もあるとか言われましたが、若い頃の3～4年は結構長いですよね。それで会社を辞めて、勉強し直して、博士課程に入り直したんです。

わりと急に方向転換している。「思い立ったが吉日」の方なのだ。

伊藤：で、東大大学院の博士課程で船用機械工学を研究していたところ、防衛大学校の機械工学教室が助手を募集しているからどうかと言われて、29歳のときに研究者として就職することになりました。

遠回りになったが、これでようやく子どもの頃からの「夢」が叶ったことになる。

伊藤：そうでもないんです。その研究室では船用プロペラなどを研究していたのですが、機械の流体力学というのは成熟した分野で、新しい発見が少ないんです。スクリューやポンプの効率を数%上げることが目標になっていたりして、自分にはつまらなかった。そこで研究室のボスが退官したのをきっかけに、自分が面白いと思えることをしようと考えて、生き物の流体力学を一から始めることにしました。ここでも「夢」が役に立っています。自分は本当は何をしたいんだろうと考えたときに、子どもの頃に猫や犬や鳥を飼っていて生き物が好きだったことを思い出しました。「生き物を扱いたい」という気持ちがあったので、そこに流体力学の知識を組み合わせることで、新しい研究ができると思いました。それで39歳のときに、それまでの研究を全部捨てて、生き物の流体力学を一から始めたんです。

すごい。39歳からまったく知らない分野で一から研究とかできるのだろうか。

伊藤：東大で航空工学を教えられていた東昭先生という方がいて、当時はもう退官されていたのですが、この方が生き物の流体力学を研究されていた。その方に弟子入りして2年くらい教わりました。もう一度大学院生をやった感じです。でも自分の好きなことができるから、もう面白くて面白くてたまらなかったです。
また、生き物の流体力学は誰も研究していないブルーオーシャンだったので、研究のネタもアイデアもいくらでも浮かんできました。本当に「夢」が叶ったのはこのときからですね。で、好きなことをやっていると成果も上がるんです。

伊藤学長は、スッポンの泳ぎ方には「省エネモード」と「最速モード」の2つがあることを突き止め、そこから人間がより速く泳ぐための方法を導き出した。この研究は、2002年の世界水泳のバイオメカニクスと医学シンポジウムで最優秀会議賞を受賞するなど高く評価された。2004年のアテネオリンピックで伊藤学長の提唱した泳ぎ方を取り入れた選手が入賞するなどの結果も伴い、いまでは世界中の競泳選手がその泳法を使うようになっている。テレビ番組でも「スッポン泳法」の名前で何度も紹介されて、一躍有名人になった。テレビなので、「でも実は本人はカナヅチなんです」といじられていたけれども、研究の成功があったからこそできる表現だ。

だが、このような成功は中学受験でラ・サール学園に合格した実績があったからこそできたことではなかろうか。そのような武器をもたない普通の人にも「夢」を追うことはできるのだろうか。

伊藤：私も普通の人ですよ。先ほど述べたように中学時代は学校の授業についていけず成績はドベでした。「伊藤と話すとバカがうつる」みたいにバカにされていじめられたこともあります。ただ「好きなこと」に取り組んだときだけは、すごい力が出せる。それは私だけじゃなく誰でも同じだと思います。

たしかに、好きではない分野で大成したという人はあまり聞かない。

伊藤：成功した人について調べてみると、たいていみんな「夢」を追求しているんです。好きなことをやっていると、人よりもそこにつぎこむ手間や時間が自然と多くなるからです。

私は、20年以上勤めた防衛大学校では准教授にもなれず講師のままでしたから、研究室の予算や人材が限られていて、自分で実験装置を作って、一人で実験しなければばなりませんでした。防衛大学校は防衛省の機関なので、上の人は私に潜水艦の研究をやらせたかったのですが、私が拒否してペンギンの潜水の研究を続けていたからよく思われなかったのでしょう。
52歳のときに工学院大学に採用されてようやく教授になれましたが、それまでは大学の先生というより大学院生のような生活でした。でも、好きなことだから全然苦痛ではなかったし、実験ノウハウがどんどん溜まるから業界の第一人者になりますし、ありとあらゆる失敗をしているので、どんなトラブルも怖くなくなりました。あの日々があったから、今の私があるんです。

ラ・サール学園から東大に進学した大学教授というと、外からは絵に描いたようなエリートに聞こえるが、その集団内では当然、序列争いがあったことがうかがえる。

伊藤：中学生の頃の私は、くそまじめで要領が悪くて成績が上がりませんでした。本学の学生も、まじめだけど要領の良くない子が多いですね。
いまの大学は偏差値で序列付けされていて、本学の偏差値は50~60前半です。つまり成績だけでいえば突き抜けた成果を上げていないので、自分に自信をもってない子が多いです。

能力はあるのでやればできるのですが、自信がないので、目立つことをやろうなどという意欲がありません。そういう子に「夢」を思い出させて叶えさせるためには、自信をつけてあげなければいけないと思っています。

そこで、私の研究室ではとにかくよいところを見つけて、褒めて、褒めて、褒めまくります。そうすると自信がついてきて、自分からアイデアを出したり行動したりするようになります。教育では「褒める」ことがいちばん重要です。

では自信さえつけば「夢」が叶えられるようになるのだろうか。もう少し、具体的な道筋を聞いてみたい。

伊藤：ウォルト・ディズニーは夢を叶える秘訣として４つのCをあげているそうです。「Curiosity＝好奇心」「Confidence＝自信」「Courage＝勇気」「Constancy＝継続」です。

「自信」はもちろん大切ですが、それだけではなく、自分のやりたいことを見つける「好奇心」、周囲の反対があってもやりたいことを貫く「勇気」、そして失敗やトラブルがあっても諦めずに「継続」することが必要です。

そのために必要なのが夢を叶える「かきくけこ」です。私が考案したものではありませんが、とてもいいと感じたのでご紹介します。

か「書いてみる」
き「期限を決める」
く「口に出す」
け「計画を立てる」
こ「行動する」

これなら私にも分かる。まず「書いてみる」というのは「夢」を具体的にすることだ。漠然と頭の中で思っているだけでは「夢」に対して本気になることができない。実際に書いてみることで自分の背中を押すことができる。

次に「期限を決める」というのも、自分を追い込む効果がある。いつかと思っていては、いつまでも先延ばしができてしまう。いつまでに叶えると明確に書いておくことで、だらだらしないでやらなきゃと自分を動かすことができる。

次の「口に出す」は、自分だけでなく他人に背中を押してもらうためだ。「夢」を口に出していると、何かの折に他人が協力したり応援したりしてくれることがある。

伊藤：その次の「計画を立てる」が重要です。私も高校に入学したときに2年生の終わりに成績トップになろうと計画を立てました。計画を立てると、必死でいろいろな方法を探るようになります。それまでは人種が違うと思っていた要領のよい人たちのやり方を真似るようになって、徐々に成績が上向きだしました。

何より大切なのが「行動する」ことです。どんなにいい計画でも「行動」しなければ何も始まりません。なかなかやる気が起きないという人もいますが、やる気は行動すればあとから湧いてくるものです。この「かきくけこ」の実践が最初の第一歩になります。あとは行動を継続することでそれぞれ自分に合った方法が見つかるでしょう。

伊藤学長は、年齢的にも新しいことにチャレンジする最後のチャンスだから学長に立候補したと語ってくれた。そして見事に新学長に選ばれた。いくつになっても夢をもち、それを叶えることが可能であることを自ら体現してみせてくれたのだ。

Project 4

空の飛び方は〝鳥センパイ〟が教えてくれました

――「鳥人間コンテスト」に挑む「Birdman Project Wendy」

●鳥人間コンテスト

読売テレビが毎年夏に放送しているテレビ番組「鳥人間コンテスト」（通称鳥コン）は、琵琶湖に建てられた高さ10メートルのプラットフォームから、人力飛行機を使ってどこまで飛べるかを競う大会だ。

私が子どもの頃にテレビでチョット見した記憶では、たいていの参加者がプラットフォームから飛び出してすぐに落下していたような気がする。当時はお笑い番組だと思っていた。コンテストの参加者がみんなとても真剣だったことを知ったのは大人になってからだ。考えてみれば当たり前だ。伊達や酔狂で、何十万円もかけて機体を作り、危険を伴う10メートルの高さからのジャンプなどできるものではない。

だが、ゴールデンタイムのテレビ番組であるからにはエンターテインメントの要素も欠かせない。参加者が真剣であればあるほど、思惑どおりには行かず、ほとんど飛べないままに落下する姿は面白みを誘う。

実際、初期の鳥人間コンテストはシリアスエントリー部門と、コミカルエントリー部門に分かれて、後者はウケ狙いで会場をいかに楽しませるかを競ったらしい。当時のテレビ番組の宣伝文句は次のようなものだった。

「人力自作飛行機大集合！空中分解！失速続出!!大爆笑！珍妙飛行物体が出現!?コミック編」

なにしろ、名称からして「鳥人間」である。

鳥人間と聞いて、すぐに人力飛行機をイメージする人もいるのかもしれないが、「ムカデ人間」とか「牛人間」とかと並べてみると、かなりコミカルなパワーワードだ。

だが、この言葉は日本のテレビ局が考えたものではない。英語のバードマンの直訳だ。歴史を辿れば、そもそも1971年にイギリスのセルシーで始まった人力飛行機の大会「セルシー・バードマン・ラリー」を日本に持ってきたのが、鳥人間コンテストだ。

バードマン・ラリーにはウケ狙いの参加者も多かったが、真面目な日本人は、鳥人間コンテストをシリアスな競技にしてしまった。

1977年に開かれた日本の第1回鳥人間コンテストでは、6機の滑空機が、従来のバードマン・ラリーの世界記録であった48メートルを軽々と超えていった。日本でハンググライダーをやっていた実力者がエントリーしたからだ。

当初の鳥人間コンテストは滑空機のみの大会であったが、ルール上は人力であればなんでもありだったので、第7回からは人力プロペラ機も参加するようになり、第10回からは滑空機部門と人力プロペラ機部門が分けられるようになった。

鳥人間コンテストは2021年に第43回を迎える。

その間に記録はどこまで伸びたのだろうか。

まず滑空機の史上最高飛距離は、２０１２年の５０１メートルだ。優勝者は、過去42回の大会のうち31回に出場し、そのうち優勝が12回という滑空機部門の王者だ。

次に人力プロペラ機部門の記録を見ると、なんと1位は、２０１９年の60キロメートル。これは大会が用意したコースの全長だ。パイロットは2時間半ペダルをこぎ続けて、それをすべて飛んでみせた。コースがもっとあれば、記録はさらに伸びたに違いない。

鳥人間コンテストは、離陸後すぐに落下するオモシロ競技から、ずいぶんと遠く離れたところまで来てしまった。

では、鳥人間ではなく人力飛行機の世界記録は、どのようなものだろうか。

驚くことに、マサチューセッツ工科大学が開発した人力飛行機のダイダロスは、１９８８年に約4時間かけて１１５・11キロメートルを飛行している。この記録は、国際航空連盟（ＦＡＩ）によって認定された世界記録だ。

日本の鳥人間コンテストから、自作の人力飛行機で、１１５キロメートル以上を飛べる猛者は出るのだろうか。

結論を先に言えば、鳥人間コンテストから人力飛行機の世界記録が出ることはない。なぜなら、10メートルの高さの台から飛び降りる鳥人間コンテストのルールは、人力飛行機の記録となるための条件を満たしていないからだ。人力飛行機の飛行距離や滞空時間の正式記録を作るためには、自力で水平離陸をしなければならない。

その意味で、鳥人間コンテストはあくまでも「お遊び」だと評する人もいる。どんなに飛んでも正式な記録としては認められないからだ。だが、たとえ「お遊び」だとしても、参加する人たちは真剣だ。

そして、ここ工学院大学にも、重力に逆らって大空を飛ぼうとする学生たちがいた。

彼らの名前は「B.P.Wendy」。バードマン・プロジェクト・ウェンディは、その名のとおり、鳥人間コンテストに出場するためにつくられた団体だ。

鳥人間の挑戦

1977年から続く鳥人間コンテストの歴史のなかでは、工学院大学B.P.Wendyは2001年にできた比較的新しいチームとなる。

設立のきっかけは、とある英語の授業のスピーチで「工学院大学は理工系大学なのに鳥人間サークルがなくて悲しい」と話した女学生がいたからだという。その授業を担当していた足立節子准教授が「それならあなたがつくってみたら?」と勧めたことがきっかけで、鳥人間の学生プロジェクトが立ちあがった。英文学を専攻する足立准教授は、人力飛行機とは何の関係もないのにもかかわらず、当時から現在までずっと顧問を務めてくれている。

そして実際の機体の製作は、流体工学を専門とする研究室や先生方に支援をお願いして、水野明哲教授（当時）を技術アドバイザーとして活動を開始した。

だが、B.P.Wendyという団体名には、足立准教授の影響があるかもしれない。Birdman Project Wendy――英語でつづられた同団体の名前に入っているウェンディは、英文学の『ピーター・パン』に登場する女の子ウェンディにちなんでつけられている。

ちなみに、ディズニーのアニメ映画『ピーター・パン』で、ピーター・パンがウェンディに魔法の粉をふりかけて飛べるようにするときにかかる歌のタイトルは「You can fly!」だ。まさに鳥人間プロジェクトの名前にふさわしいといえよう。

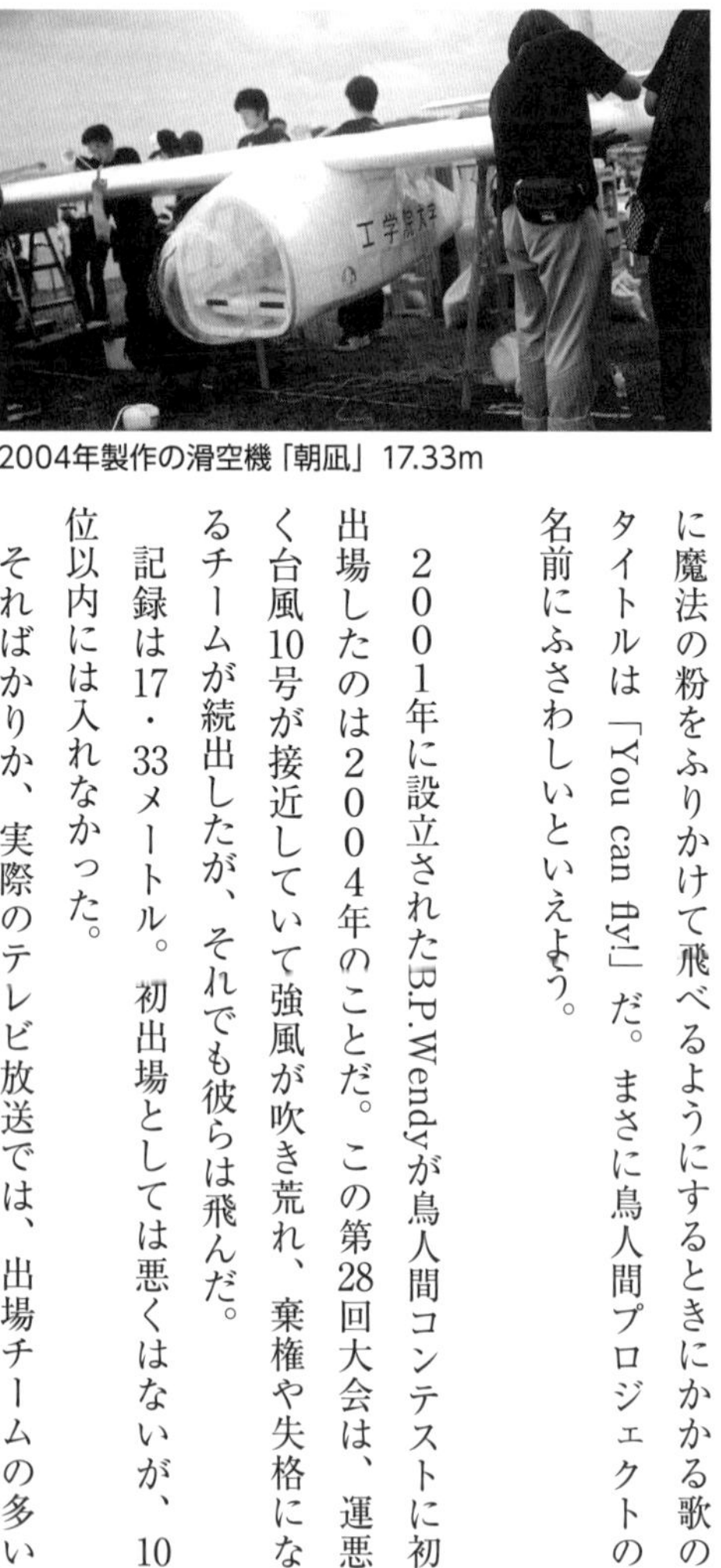
2004年製作の滑空機「朝凪」17.33m

2001年に設立されたB.P.Wendyが鳥人間コンテストに初出場したのは2004年のことだ。この第28回大会は、運悪く台風10号が接近していて強風が吹き荒れ、棄権や失格になるチームが続出したが、それでも彼らは飛んだ。記録は17・33メートル。初出場としては悪くはないが、10位以内には入れなかった。

そればかりか、実際のテレビ放送では、出場チームの多い滑空機部門オープンクラスは10位までしか放送されなかった。B.P.Wendyはテレビに映らず、読売テレビが制作している大会ホームページの公式記録にも掲載されていない。

雪辱を期して２００５年に制作した3号機が「NAZCA（ナスカ）」だ。

さすがに3回目ともなると、これまでの失敗を踏まえて十分な改良が加えられて、自信のもてる機体に仕上がった。鳥人間コンテストにも2年連続出場が決まった。

2005年製作の滑空機「NAZCA」230.88m

この年、B.P.Wendyは滑空機部門オープンクラスにエントリーして、前年の記録を大幅に更新する２３０・88メートルを飛んだ。順位は4位。あと一歩で入賞は逃したものの、３位との差はわずかに４・26メートルだった。テレビでもきちんと放送された。

ちなみに、公式記録によれば、このときのパイロットは女性だ。

実は、鳥人間コンテストには女性パイロットが少なくない。空を飛ぶという関係上、滑空機では重量をできるだけ軽くするために小柄な女性パイロットを選ぶことがある。鳥人間コンテスト自体も、女性パイロットを増やしたいためか、かつては滑空機部門と人力プロペラ機部門のほかに、わざわざ女性パイロット部門をもうけていたくらいだ。

鳥人間コンテストを題材にした2017年の映画『トリガール!』も、2人乗りの人力プロペラ機を、女性パイロットと男性パイロットがタンデムで飛行させる話になっている。

2021年現在のB.P.Wendyのパイロットは男性だが、代表は女性だ。

●鳥人間の挫折

滑空機部門で満足のいく成績を残したB.P.Wendyは、翌年は長距離を飛べる人力プロペラ機に挑戦するが、書類審査で落選となってしまった。翌年も書類審査で落ちて、2年連続で大会出場を逃す。

鳥人間コンテストはテレビ番組という都合上、時間が限られている。特に、人力プロペラ機部門は人気が高く、希望する団体すべてが出場することはできない。

そこで、毎年書類審査で出場チームが決定されるのだが、これに通るのがなかなか難しい。書類審査は、人力飛行機の図面を提出して、飛行性能や安全性などから決めるとされている。だが、それだけでなくテレビ番組としての演出上の都合も審査に含まれていると考えられる。

だが、毎年の顔ぶれが同じだとマンネリになるから、そろそろ出場のチャンスがめぐってくるはずだ。

２００８年、B.P.Wendyは3番目の人力プロペラ機「跳穹（ちょうきゅう）」で、第32回鳥人間コンテストの人力プロペラ機部門に初出場を果たす。

このときの成績は、なんと９６３・50メートルで5位。人力プロペラ機に変えたことで、滑空機では不可能な1キロメートル近い距離を飛んだのだ。

だが、上には上がいる。優勝常連校の東北大学は、大会が用意した36キロメートルのコースをすべて飛びきって、当時の大会新記録を樹立した。2位の芝浦工業大学が3キロメートルだったから、圧倒的な差をつけての優勝だった。

それでも、初めての人力プロペラ機での挑戦で約1キロメートルを飛んだメンバーの顔は明るかった。

2008年製作の人力プロペラ機「跳穹」963.50m

翌２００９年、読売テレビは売上高減少による制作費削減を理由に、大会の開催を休止した。鳥人間コンテスト自体を取りやめるわけではなく、翌年の開催のために、今回は開催を見送るという説明だった。残念だが致し方ない。

鳥人間コンテストは一民放のテレビ番組という制約を常に抱えている。番組が打ち切りになれば、当然コンテスト自体もなくなってしまう。ドラマチックな演出をするために、機体内部にはパイロットを映すためのカメラが取り付けられる。しばしば芸能人や有名人がパイロットとして大会に参加するのも御愛嬌だ。

2010年製作の人力プロペラ機「夢現」33.28m

翌2010年、予定通りに開催された第33回大会に、B.P.Wendyは5番目の人力プロペラ機「夢現（むげん）」を携えて参加する。前回大会で5位だったためか、書類審査も無事に通って、連続で出場できた。

だがこの年、彼らの機体はわずか33・28メートルで琵琶湖の湖面に沈んだ。うまく揚力を得られなかったのだ。

結果は13チーム中11位だった。

これ以降、冬の時代が訪れる。2012年から2016年までの6年間、彼らは新しい機体を完成させていない。

コンテストでよい結果を出せなかったために意欲がそがれ

てしまったのか、それともせっかく人力飛行機を製作しても書類審査で落とされてしまうためか、とにかく彼らの活動は停滞し、入部する人も少なくなり、人手不足で機体を製作できない年が続いた。

2001年に設立されたB.P.Wendyは、工学院大学の学生プロジェクトの中では2番目に古い歴史を誇る。

だが、歴史が長いだけに、伝統の継承も難しい。毎年メンバーが入れ替わる学生団体では、一人ひとりが意識して後輩に伝達していかなければ、文化が途切れてしまうのだ。いつのまにか機体を作ることがなくなっていたB.P.Wendyは、鳥人間コンテストとも縁が遠くなっていた。

鳥人間の復活

そんなB.P.Wendyを立て直したのが、2017年のメンバーだ。

彼らは数年かけて新しい機体「燈火(ともしび)」を製作し、2017年に、7年ぶり5度目の鳥人間コンテストへの出場を勝ち取る。

当時の八王子経済新聞の記事には、取材にこたえる代表の小笠原大地さん（先進工学部機械理工学科）の言葉が残されている。

「引き継ぎがうまくいかなったようで技術も白紙に戻ってしまった。13、14代目で立て直し始め、トライアンドエラーを繰り返し、2、3年かけてここまで来られた」

続けて小笠原さんは、機体作りの苦労を次のように語っている。

「そもそも自分たちのチームの完成した機体を見たことがない。資料もほぼなかったので完成型が見えないなかでやっていた。これはきつかった」

かつて、鳥人間コンテストで1キロメートルを飛行し、5位に入った技術やノウハウは失われていたらしい。

「走行試験をしたこともないし、テストフライトをやったこともない。タイムスケジュールなど運用についても分からないので、本番までにやることはいっぱいある。全部が初挑戦で全部頑張っている」

久しぶりに鳥人間コンテストへの出場を決めたことで、B.P.Wendyはよみがえった。4月の新入生勧誘では「今年は鳥コンに出場するから、一緒に琵琶湖に行こう」と声をかけて15人以上の入部希望者を集めた。

当時、新入生として入部した丹澤 優さん（先進工学部機械理工学科）は「入学当初、ものづくり系の団体に入りたくてソーラーカーやロボコンを見学していましたが、鳥コンに出られるよと誘われて、行ってみたら雰囲気が良くて、そのまま入ってしまいました」と振り返る。

そうして迎えた7月末の第40回鳥人間コンテスト。

だがと言おうか、やはりと言おうか、ブランクは大きかった。

まずは過去の記録を超えようと、1キロメートルのフライトを目標にのぞんだB.P.Wendyだったが、飛行記録は41・1メートル。

人力プロペラ機ディスタンス部門に出場した15チームの中で最下位となった。

パイロットは、チームメイトから「空飛ぶゴリラ」と親しみを込めて呼ばれていて、代表の小笠原さんからは「歴代最強」と信頼されていた大野孝太郎さん（先進工学部機械理工学科）だったが、風に乗る前に舵取りのミスで失速して、挽回できなかった。

鳥人間コンテストでは、わずかなミスが命とりになる。

この年、1位になった「BIRDMAN HOUSE 伊賀」は、大会が用意した全長40キロメートルのコースをすべて飛びきり、当時の大会新記録を樹立している。

翌2018年の第41回大会には、「燈火」を改良した機体でエントリーしたものの、書類審査で落ちてしまう。

この2018年には、のちに代表を務める井上拓海さん（工学部機械工学科）が入部している。井上さんは入部理由として先輩たちの雰囲気がいちばん良かったと語る。

「先輩とかって、後輩をいじったり、怒ったりする怖いイメージがあったのですが、ここではみんなとても優しくて、知識も豊富で、何か分からないことがあるときもすごく聞きやすかったです。叱られたり、怒鳴られたりしたことは一度もないですね。雰囲気が和やかで一人も攻撃的な人がいないのが、『B.P.Wendy』のいちばんの魅力です」

井上さんにとっては1年先輩にあたる丹澤さんも同意する。

「ぼくも1年生のときからすごく楽しかったのですが、それは、ものづくりの好きな人が集まっていたからだと思います。工学部や先進工学部といっても、三度の飯よりものづくりが好きという人は意外と少なくて、そういう変人がたくさんいて交流できるのが楽しかったですね。鳥コンに行くと、各大学の変人に会えるのも楽しいです」

2017年鳥人間コンテスト出場「燈火」

翌2019年、B.P.Wendyは重大な決断を行う。

工学院大学のウェブサイトで見られる「2019年度鳥人間コンテスト申請辞退に関するご報告」のなかで、彼らは自分たちに力が不足していることを認め、鳥人間コンテストの常連出場チームに追いつくために、1年間の充電期間を取ることを宣言している。

理由は2つある。

1つは、技術的に劣っている部分を改善し、新たな機体を作るためだ。

もう1つは、チームとしての技術継承ができていなかった部分を反省し、機体製作や設計に関するマニュアルを作り直すためだ。

3年生は最後の出場チャンスを見送ることになるが、意思を受け継いだ後輩が強豪チームに育ってくれればいい――そんな気持ちが垣間見える。

だが、残念ながら翌2020年は、新型コロナウイルス感染症の影響で、鳥人間コンテストそのものが中止になった。彼らの再チャレンジは、2021年まで持ち越された。

2021年大会に向けて

鳥人間コンテストの出場を取りやめた2019年には、現在の代表を務めるカピー・アレクスィーさん（建築学部建築学科）が入部している。

女子学生で、外国にルーツをもち、しかも建築学部のカピーさんは、B.P.Wendyには珍しい人材に見えるが、本人によればそうでもないらしい。

「女子メンバーは珍しいわけではなくて、私の学年は7人中4人が女子で、下の学年にも2人います。たまたまうちの学年は女子が多かったこともあり、後輩にも女子が入ってきやすいところはありますね」

とはいえ女子も建築学部も少数派である。彼女が代表に選ばれた経緯はどのようなものだったのだろうか。そう質問すると、カピーさんは次のように答えた。

「代表は、適材適所というか、キャパがある人がやる感じです。コックピット班とか、電装班とか、翼班とか、製作の班に技術を知っていて班長を務められる人をそれぞれに割り当てていくと、全体の代表を務められる人が私くらいしか残らなかったんじゃないですか」

謙遜であろう。代表にはリーダーシップが必要なはずだし、人望がなければ務まらない。カピーさんは代表の役割をどのように考えているのだろうか。

「今年はコロナとかでモチベーションが下がるメンバーが多かったので、みんなのモチベーションを上げたり、メンタル面でケアしたりは意識しました。モチベーションが下がると進捗も遅れるので、普段は仲良くしていても、心を鬼にして進捗管理することが重要かなと思います」

鳥人間コンテストでは、絵的にも演出的にも、実際に機体を操縦するパイロットに焦点が当てられることが多いが、２０２１年はどのような人がパイロットを務めるのだろうか。

それを聞くと、メンバーの間に笑いが起きた。パイロットの藤本　凌さん（先進工学部応用物理学科）は、「変人」が多いB.P.Wendyの中でもかなりの「変人」であるらしい。

聞くところによると、藤本さんは1年生のときにテレビ視聴した鳥コンで40キロメートルもの新記録が出たのを見て感動してパイロットを目指したという〝生粋の鳥人間〟で、1年生のときからパイロット志望で入部している。丹澤さんと同期だから大会にも参加した経験があり、絶対にパイロットをやりたいと毎日トレーニングしているそうだ。

長いときは2時間以上ペダルをこぎつづける人力プロペラ機のパイロットは、製作チームとは異なりかなりの肉体鍛錬が必要だ。強豪チームであれば、トレーナーがついてメニューを考えることもあるそうだが、B.P.Wendyにはそこまでの余裕はなく、トレーニングはパイロット任せになっている。

藤本さんは、個人任せになっているからといってトレーニングをさぼろうという気がまったくなく、毎日ストイックにトレーニングに励んでいる。授業のある新宿キャンパスから、作業場がある八王子キャンパスまでの間を、ほぼ毎日、自転車で往復しているというのだから尋常ではない。

作業場の中にトレーニング用のエルゴメーター（運動負荷をかけて、体力測定やトレーニング、あるいは機能向上を促す器具）があるので、新宿から自転車で来た藤本さんは、すぐにそこに乗ってトレーニングを始めるのだそうだ。それだけでなく、トレーニングの最中にかけ声というか奇声を上げるので、作業しているメンバーはその声を聞いて藤本さんの来訪を知るという。まさに鳥人間コンテストのパイロットにふさわしいといえるほど、キャラが立っている。

小説を映画化した『トリガール！』には、同じようにトレーニングに励む2人のパイロットと、それを取り巻くオタクの製作チームが登場する。映画を見たときは、よくできたデフォルメだと思っていたが、丹澤さんは「変人が多く出てくるのは意外とリアルだと思いました。正直にいえば、リアルのほうがもっとキャラクターは濃いくらいです」と肯定する。

逆にリアルでないのは、主人公である男女のパイロットの感情的な確執だという。丹澤さんは「パイロットのトレーニングにしても操縦にしても、精神論というより、もっと理論的に話す人が多いです」と説明する。

たとえばパイロットの藤本さんは、体重を管理するために、自分の食事を完全にエネルギー補給の手段と見なしていて、カロリー、タンパク質、脂質、塩分濃度などの数値にしか興味をもっていないそうだ。そのため、食事の好みがなくなっているという。藤本さんには直接会うことができなかったのでにわかには信じられない話だが、丹澤さんもほかのメンバーもしごく真面目な顔で話している。

彼らは、鳥人間コンテストのテレビ的な演出に不満をもたないのだろうか。

丹澤さんは「人力飛行機は飛ばすだけでも大変なので、飛ばす場所と機会を与えていただけているだけでもありがたいです」と謙虚に話す。現代表のカピーさんも「面白おかしい演出で鳥人間に興味をもってくれる人が増えて部員が増えるなら、それはそれでありだと思います」と割り切っている。

実は、鳥人間コンテストの書類審査のアンケートには、毎回「飛ばなきゃならないワケ」を答える項目がある。審査そのものには無関係のアンケートという建前だが、何が審査に影響するか分からないので、B.P.Wendyはできるだけ思いや気持ちといった精神性を強調するようにしている。

今年はパイロットの鳥コンに出たい気持ちが強く、そのために彼が新宿―八王子間を毎日自転車で走っているので、チームとしてその思いを琵琶湖で叶えさせてあげたいと書いた。

取材当時はまだ決まっていなかったが、カピーさんを代表とする２０２１年のチームは、書類審査を通過して、晴れて鳥人間コンテストに出場できることになった。

第43回鳥人間コンテストは２０２１年の夏に開催される。４年ぶり6度目の参加となるB.P.Wendyがどこまで飛んでいくのか、今から楽しみだ。

鳥人間コンテストにおけるB.P.Wendyの戦績

27	2003	AEOLUS（アイオロス）	不出場
28	2004	朝凪（あさなぎ）	滑空機17.33m（順位なし）
29	2005	NAZCA（ナスカ）	滑空機230.88m（4位）
30	2006	初雛（ういびな）	不出場
31	2007	Ibis（アイビス）	不出場
32	2008	跳穹（ちょうきゅう）	プロペラ機963.50m（5位）
―	2009	SOAR（ソアー）	中止
33	2010	夢現（むげん）	プロペラ機33.28m(11位)
34	2011	We's（ウィーズ）	不出場
35	2012		不出場
36	2013		不出場
37	2014		不出場
38	2015		不出場
39	2016		不出場
40	2017	燈火（ともしび）	プロペラ機41.1m（15位）
41	2018		不出場
42	2019		不出場
―	2020		中止
43	2021	かささぎⅡ	出場（8月1日）

●インタビュー

情報学部　情報デザイン学科　認知情報学研究室
蒲池みゆき　副学長

総務省の「科学技術研究調査」によれば、日本における女性研究者の割合は16・6％（2019年）だそうだ。

ほかの国だってそれほど多くないだろうと思われるかもしれないが、アルゼンチンが54・1％、ポルトガルが43・7％、スペインが40・5％と、ラテン系の国は総じて女性研究者が多い。

そのほか、ロシアが39・2％、イギリスが38・7％、アメリカが33・4％だ。日本の女性研究者の比率の少なさは特筆的で、同じ東アジアの韓国や台湾よりもその割合は低い。

アカデミアの世界は相対的にまだましで、帝国データバンクのアンケート調査によれば、管理職における女性の割合は平均で7・8％しかない（2020年）。

政府の調査でも、女性の管理職比率は12～17％程度にとどまっていて、「2020年までに指導的地位に女性が占める割合が少なくとも30％程度」という、かつて小泉政権がかかげた目標は達成されなかった。

政治の世界でも、日本における女性議員の割合は9・9％で世界166位だ。世界平均が25・5％なのだから、どの分野でも女性の登用は遅れているようだ。

そんななか、工学院大学は2021年度から、副学長の一人に、女性の蒲池みゆき教授を選んだ。

蒲池副学長は、2006年に工学院大学情報学部情報デザイン学科の准教授（当時は助教授）に就任し、8年後に教授昇格、学科長、学部長を経て副学長に就任している。

そもそも工学院大学は、学生も教員も男性のほうが圧倒的に多い男社会だ。2021年度の在学者数でいえば、学生数5707人中、女子学生は1097人。割合でいえば2割未満だ。

教員は、専任教員208人のうち、男性が190人で、女性教員の割合は9％に満たない。それだけに蒲池教授の活躍はいっそう目立つ。いったいどのような方なのだろうか。

蒲池：女性の学部長は初めてとか、副学長は初めてとかいっている間は見世物扱いみたいなもので、男女平等社会なんてとうてい言えません。私が工学院大学に就任したとき、当時の大学の広報課に「女子学生を増やしたいので、女性の先生がいることをアピールしたい」と言われて、広報誌への掲載を打診されました。女子学生を増やしたいのであればイケメンの先生を出したほうがいいのにと思いましたが、おとなしく承諾しました。だから、役職を与えられたって、自分の能力を買ってもらっているのか、それとも女性だから選ばれたのかと考えてしまいます。

いまは政府が旗をふって、女性の管理職を増やせと強く推進しているから、ちょっと活躍している女性はいろんな役職につけられているでしょう。能力が高いからではなく、下駄を履かせられた感じになっています。そこで本人も「まんまと波に乗れてラッキー」と思っていればいいけど、申し訳ないような気持ちになる人もいる。同じ能力なのに自分は選ばれなかったと不平等に感じる男性もきっといるでしょうし、女性管理職の数を増やすだけの登用は男女どちらにも懸念が残ります。

ただ、活躍している女性はたしかにいろいろなハードルを越えてきた方が多いとは思います。私自身、大学院のときに研究者になりたいと指導教官に相談したら「男性の5倍がんばりなさい」と言われました。それだけ女性にとって不利な状況が多かったんです。

蒲池教授は率直に話すので、非常に分かりやすい。研究者として身を立てるまでに、どのような苦労があったのだろうか。

蒲池：私は九州大学の文学部哲学科心理学専攻出身です。文系学部ですが、心理学は自然科学でもあります。心理学には大きく分けると二通りあって、一つはカウンセリングなど臨床系の心理学、もう一つは人の反応を測定する実験系の心理学です。前者は教育学部、後者は文学部にあって、私は文学部だったので実験系となり、科学の道を歩むことになりました。

研究室に入って最初に取り組んだのがプログラミングでした。もともと数学や物理も嫌いではなかったので、すぐに馴染みました。なぜプログラミングが必要かといえば、たとえば被験者に対してある画像を0・3秒提示してレスポンスを取るといった実験では、コンピュータで実験を制御しなければならないからです。それ以来、ずっと人間のデータを取り続けてここまできました。だから情報学といっても、人の仕組みとか、心の動きを解明することなら何でもやります。私の基盤はやはり心理学ですね。

学部の研究が楽しかったからといって全員が研究者になるわけではない。研究者の道を選んだ理由はなんだったのだろうか。

蒲池：大学院に行くときにはけっこう悩みました。文系で大学院に行ったら通常の就職は逆に厳しくなると思ったほうが良いと高校生のときに言われていたし、学部を出て通常の就職をするよりも、研究が楽しいからこれを生業にしたいという思いが強かった。それに、なぜか就職活動はしたくなかった。働くというのは、労働と報酬を交換する対等な取引であるのに、こちらはリクルートスーツを着ていて、ふんぞりかえっている面接官のおじさんに「よろしくお願いします」なんてぺこぺこすることに納得がいかなかった。

誰かに「うちで働かないか？」って誘ってもらえれば良かったんですけど、バブルがはじけた直後で、そんな話はもうなかった。先輩の中には、文学部を卒業してIBMやNTTデータ、商社など誰もが知る大企業に入った人もたくさんいたんですけど、私たちの代では就職が難しいといわれて、内定を得るために友達がみんな同じ服装・髪型で企業に頭を下げているのが腑に落ちなかったんです。

それで大学院に行くことにしましたが、それを指導教官に告げたら「公務員試験でも受けたほうがいいんじゃないか」と言われたり、親に対しても「ちゃんと食べられる研究者になります」と説得が必要でした。

文学部で博士課程まで修了すると一般企業への就職は難しくなるという時代に、不安はなかったのだろうか。研究者志望の女性の参考になるかもしれないと思って聞いてみた。

蒲池：大学院に行くと同時に、京都にある民間の研究所に研修として入ったんです。人型ロボットを作る人とか、相貌失認について研究するお医者さんとか、コンピュータで顔認識ソフトを開発する人とか、異分野の研究者を集めて、顔について調べる研究室です。学部の卒論で顔の研究を行っていたときに、たまたまそこの研究所の室長さんが来て、私の研究の説明を聞いて誘ってくれたんです。
そこがすごく楽しかったので、博士号を取得後もそのまま働くことにしました。学生の研究員として4年間、その後はポスドク研究員として6年間働いて、環境に不満はなかったのですが、待遇がポスドクなので、そろそろ就職先を探さなきゃと思っていたときに、工学院大学が2006年から情報学部を新設することになりました。当時の工学院大学の常務理事の先生が、私のいた研究所とつながりがあって、誘っていただいたのがご縁ですね。

職を探しているときに学部の新設があって、ポストが空くなんてとても運がいいように聞こえるが、そこで誘ってもらえるだけの何かがなければ運には恵まれない。蒲池教授には、他人から信頼されるような何かがあるのに違いない。

蒲池：私が評価されているとしたら、おそらく適応能力の高さでしょうね。どんな研究室に入っても、自分が気持ちよく働けるように、今いる場所を良くしようと一生懸命がんばってしまう。だから、どこの研究室に入っても重宝されたし、その評判を聞いた人から誘ってもらえたのかもしれません。今は工学院大学で管理職となっているので、大学の名声を高めて、入学する学生の質を上げていきたいと考えています。

大学教員の仕事は、一般的なイメージでは「研究」だが、実際には「教育」や「管理」や「広報」に割かれる時間も大きい。特に役職者ともなると、大学の管理運営や広報といった学務の割合が大きくなるだろう。メインの業務はなんなのだろうか。

蒲池：全部ですよ。人によっては「研究」がいちばん好きとか、「教育」に力を入れているとか言うかもしれませんが、研究者というのは会社員と同じで組織人ですから、組織の管理運営の仕事も、もちろんやらなきゃなりません。そもそもたいていの研究はさまざまなところと協力して組織的にデータを集めないといけないので、組織人じゃないと研究者としてもやっていけないです。研究しかしたくなくてその他は雑用だという人には、やれるものならやってみろと言いたい。
大学という組織に所属している以上、その大学がつぶれてしまえば職を失います。大学の「管理運営」や「広報」に力を入れないと、入学者の質も上がらないし、数も不足します。今は多くの大学教員が、いろんな高校を回って「大学の研究は面白いので、ぜひ来てください」と広報活動をやっています。

学生の親御さん向けの後援会も全国各地でやっていて、希望者には各学科の先生が面談もしています。成績表を見せながら、「お子さんはがんばっていますね」などとコミュニケーションを少しでも取ることで、親御さんの不安や心配がなくなって、大学に対する理解が深まるからです。

八面六臂の活躍であるが、人間なのだから、得意なことと苦手なことがあるだろう。蒲池教授自身はどれに力を入れたいのだろうか。

蒲池：あえてどれがメインかと答えるなら「教育」ですね。学生自身が働いてみたいと思う企業に就職させてあげるためには、卒業生の評判を上げていかなきゃいけない。つまり、社会のなかでの工学院大学の評判を上げなきゃいけない。大学院の充実にも人が必要だから入れていかなきゃならないけど、そのためには大学院できちんと研究ができるような学部生を育てなきゃならないわけで、すべてつながっています。

大学の教育は、学生を就職させるところまでですから、研究室の学生の就職活動の相談にものります。エントリーシートの添削もしますし、面接のアドバイスもします。ほったらかしで決まる子ばかりじゃないので、いろんな手を使います。「研究」の時間はほとんど取れていないので、たまに「研究」ができると、仕事の息抜きになります。学生の持ってきた論文を見ながらディスカッションするのが幸せな時間です。

話を聞いていると、学部長や副学長に選ばれる理由も分かるような気がする。学生の質を高めて企業に送り出し、工学院大学のブランド力を上げるということにためらいなくまっすぐに向かっている。学生への面倒見もよいから、周囲からの信頼も厚そうだ。あらためて最初の「どのような苦労があったのか」という質問に戻ってみた。

蒲池：私が若い頃は女性研究者としての苦労がいろいろありましたけど、今はもう男女平等でしょう。男子学生、女子学生という分類をして大学での傾向を分けようとすることそのものがもう古く感じます。たとえばうちの研究室にはコンスタントに女性が来るし、情報学部全体でも女子の割合は12%くらいあります。少ないといえば少ないけど、そもそも理工系に進む女子が少ないんです。文系、理系っていうのも古い概念ですけどね。私の専攻分野は文理の複合領域なので、自分が文系か理系かも分かりません。文系とか理系とか、あるいは男性とか女性とかといった窮屈な枠組みを意識しなくなったときが本当の平等社会です。

「文系・理系」「男性・女性」などといったものは窮屈な枠組みである。そんなものに縛られない多様性の先にあるものが、これからの社会でいろいろなコトやモノを生み出す力になるのではないだろうか。

Project

5

実はロボットと同棲しています!

——ロボコン優勝は射程圏内、KRP(工学院大学ロボットプロジェクト)

ロボコンってなに？

ロボコンと聞いたときに人は何をイメージするだろうか。

私の場合は、目玉の大きい真っ赤なロボットを最初に思い出してしまうのだが、石ノ森章太郎原作の『がんばれ!!ロボコン』や『燃えろ!!ロボコン』は、今回は関係がない。今から話すのは、NHKが主催するロボットコンテスト、略してロボコンについてだ。

ロボットコンテストとは、その名のとおり、ロボットを使用した競技大会のことだ。

現在のロボットは、その場の状況に合わせた臨機応変な対応ができないので、あらかじめ発表されている競技ルールに合わせたロボットを毎回自作して参加する形式が多い。ルールを読み解いてどんなロボットを製作するかが勝利への鍵となる。

NHKロボコンは1988年の「アイデア対決・独創コンテスト」をはじまりとして、およそ30年の歴史がある。

現在のロボコンには、高等専門学校の学生による「高専ロボコン」、大学生による「学生ロボコン」、そして学生ロボコンの優勝チームが日本代表として出場する国際大会の「ABUロボコン」（アジア・太平洋ロボットコンテスト）がある。最近は「小学生ロボコン」というものも行われているらしい。

かつては「学生ロボコン」に外国の大学生チームが参加することもあったが、２００２年に国際大会「ＡＢＵロボコン」がはじまってからは、「学生ロボコン」は国内の大学チームだけの大会となった。競技課題も「ＡＢＵロボコン」と連動されて、日本代表選考会の側面を強めている。

工学院大学ロボットプロジェクト（ＫＲＰ）は、この「学生ロボコン」に参加して優勝することを目的として、２０００年につくられた団体だ。

初めて「学生ロボコン」に出場したのは設立から2年後の２００２年のことで、以来、新型コロナウイルス感染症の影響で中止になった２０２０年までの計18回の大会のうち14回に出場している。「ＡＢＵロボコン」がはじまった２００２年以降の出場回数順位でいえば全国7位の常連校だ。

「高専ロボコン」が「高等専門学校生の甲子園」などと呼ばれ、映画化までされたように、「学生ロボコン」は工科系大学生の競技大会として日本で最も有名なものだろう。ＮＨＫが主催して、毎年テレビで大々的に放送するという宣伝効果も大きい。

ネットに圧されて２０１９年で休刊になったが、「ロボコンマガジン」という専門の雑誌が21年にわたって、理工学専門出版社のオーム社から発行されていた。ロボット製作は、工科系学生のホビーとしてかなりポピュラーなものなのだ。

ちなみに「学生ロボコン」の優勝チームが日本代表として出場する国際大会「ABUロボコン」もNHKで放送されている。日本は毎年のようにベスト4以上に残る強豪だが、過去18回の大会で優勝は二度しかない。2005年の東京大学と、2013年の金沢工業大学だ。

善戦する工学院大学ロボットプロジェクト

工学院大学ロボットプロジェクト（KRP）のこれまでの成績はいかがなものだろうか。

初出場の2002年こそ1回戦負けだったが、翌2003年は出場20チーム中ベスト4にまで残っている。この年は、優勝した愛知工科大学に惜しくも準決勝で敗れたが、技術賞とPanasonic特別賞の2つを受賞した。複数受賞したのは工学院大学だけだ。

2006年は予選リーグを2位で通過する好成績だったが、準決勝で東京大学に敗れてやはりベスト4どまりだった。「学生ロボコン」は、甲子園と同じく対戦試合形式なので、事前の設計や製作だけでなく、当日のコンディションやパフォーマンスなどの運にも

2006年
【競技課題：ツインタワー・ビルダー】
デザイン賞受賞

左右される。この年はデザイン賞を獲得した。

その後しばらく、出場すれども受賞できない時期が続いた。ひさしぶりの受賞は２０１７年になってからだ。この年は予選グループ2位で敗退となってしまったが、デザイン賞を獲得する。予選で敗れたチームの受賞は珍しい。受賞理由は、予選リーグ第2試合において、大会最速の43秒で勝利を決めた速度と精度だ。

エンジニアサイトのDEVICE PLUSの講評では「個人的には世界大会に行って是非とも中国代表と戦ってほしかったマシンです。予選落ちしてしまったことが非常に悔やまれます」と絶賛された。

2017年
【競技課題：The Landing Disc】
デザイン賞受賞

だが、負けは負けである。ＫＲＰの過去14回の学生ロボコンへの挑戦は、最高でベスト4が2回で、優勝はまだない。

２０２１年こそ悲願の優勝に向けてがんばりたいところだが、実は２０１８年と２０１９年は2回とも審査で落選して出場を逃がしている。２０２０年大会が新型コロナウイルス感染症の影響で中止となったのと合わせれば、ＫＲＰは3年間も学生ロボコンの舞台から遠ざかっている。

●「APPARE!」を決めろ

2016年に工学部機械システム工学科に入学した堀 龍平さん（大学院機械工学専攻）は、学生ロボコンへの出場経験をもつ数少ないKRPのメンバーだ。学生ロボコンに出場するのは学部3年生がメインなので、大学院生の堀さんはすでに引退しているが、求められればいつでもサポートする気概はある。

出場当時、学部2年生だった堀さんは、初めての大会参加に「会場から応援している各大学の学生たちの熱意がすごくて、スポーツの大会と変わらない」と感じたという。

学生ロボコンは、事前にルールを読み解き、どのように戦うかの戦略を立てて、戦略に沿った設計を行い、精度高く製作することが勝敗のほぼすべてを決する。

たとえば学生ロボコン2017の競技課題「The Landing Disc」は、ポリウレタン製の円盤をロボットに装填し、遠くにある7本の台に向けて円盤を射出して、台の上に乗っているボールを撃ち落としてから、そこに円盤を乗せていくものだ。江戸時代の日本のお座敷遊び「投扇興」がモチーフになっている。

どのように円盤を装填するか、装填した円盤をどのように射出するか、何本の射出装置をつけるか、照準をどのように定めるか、機構にどのようなシステムを用いるかなど考えるべき点はいくらでもあって、サイズや重量の制限も考慮してバランスのよい設計が求められる。部品も自分たちで切り出すので、製作の精度も重要だ。

ちなみに7本の台すべてに円盤を先に置くことができたチームは「ＡＰＰＡＲＥ（天晴）！」となって、ゲーム終了を待たずに即座に勝利が確定する。ＫＲＰがこの年にデザイン賞を獲得できたのは、大会最速のわずか43秒で「ＡＰＰＡＲＥ！」を決めた功績が大きい。次点のチームは「ＡＰＰＡＲＥ！」の獲得に1分11秒かかっている。

この結果は、そもそも２０１７年のルールブックを読んだＫＲＰの立てた戦略が「最速でＡＰＰＡＲＥ!を決めて有無を言わさず勝つ」ことにあったからだ。そのために精度が高く素早い射出方法を検討して、３門の投射機構を搭載した。

大会の成績は、半年以上前に発表されるルールブックを読み込んでの戦略と設計にかかっている。そのように考えるからこそ、設計段階での議論は白熱する。

２０１７年は、回転ベルト方式、回転車輪方式、簡易アーム方式という3つの射出アイデアのいずれが良いかを設計段階で絞ることができず、それぞれの方式の試作機を作って実際に射出評価を行ってから、本大会用の機体を製作した。だがそのために、機体の切削時間と調整期間が十分に取れなくなって、忙しい時期は週3回の徹夜作業をしたという。

ロボコンにかける学生たちの情熱はすさまじい。

同じルールブックを読んでも、大学によって考える戦略が異なるから、大会には種々雑多なロボットが集まる。それぞれのロボットのデザインの違いを愛で、どのようなコンセプトで作られたものかを想像するのもロボコンの楽しみ方の一つだ。

いかに新入生を教育するか

時には同じプロジェクト内で、どのようなロボットを作るかで意見が分かれることがある。2018年も、どのアイデアが良いかを確かめるために試作機を2種類作った。だがこの年は前々年の新入生勧誘がうまくいかず、メンバーが5人しかいなかった。人数不足なのに2種類のロボットを並行して作ったのだから、まったくリソースが足りず、最終的に完成度の高いロボットを製作することができなかった。

書類審査と一次ビデオ審査は通ったものの、最終審査で落選して学生ロボコン本大会出場に至らなかったのは、設計段階でアイデアをまとめきれなかったためだ。

チームのメインメンバーだった堀さんは「KRPに入ってロボットを作ろうという人は熱意があるだけにこだわりも強くて、理詰めの言い合いになるとどちらも引かないんです」と振り返る。

翌2019年も同様だった。この年は国際大会「ABUロボコン」の開催場所がモンゴルだったため、競技課題もモンゴルの文化である「馬による駅伝メッセンジャーシステム」をモチーフにした「グレート・ウルトゥー」となった。

馬に見立てたロボットに、段差やロープを乗り越えさせなければならない特殊ルールで、前例があまりなかったために、どのようなロボットにするかでかなり熱い議論になった。最終的に四足歩行というコンセプトを採用して、実際に試作機をいくつか作ったものの、四足歩行の機構が難しすぎて、完成度があまり高くならなかった。この年も同じく最終審査での落選となった。

2019年にリーダーとなってKRPを率いた神山裕汰さん（工学部機械システム工学科）は「私たちの代も人的リソースが足りなかったです」と語る。

2019年に3年生だった神山さんの代は、2017年にKRPがロボコンでデザイン賞を受賞したときの入学だ。だからミーハー的な興味関心をもつメンバーも含めて、当初は20人くらいの新入生がいた。

だが、神山さんによれば「授業が大変とか、アルバイトが忙しいとか、いろいろな理由で、メンバーがどんどんいなくなった」そうだ。一学年上の堀さんが申し訳なさそうに「自分たちの代の人数が少なかったので、後輩教育が十分にできず、的確なサポートができなかったからです」とフォローした。

学生ロボコンでの優勝を狙うKRPは、3年生ともなるとかなりの時間を活動に割かなければならないので、本気の人でなければ続けることができない。

そのため最初のうちは仮入部というかたちで、F3RC（エフキューブ）という新入生向けの大会を体験させて、それが終わったあとに本入部するかどうかをあらためて新入生に問うシステムになっている。自ら入部のハードルを上げているのだが、幽霊部員が増えるよりも、少数でも本気でコミットできる人のほうがいいとの考え方なのだろう。

エフキューブとは、学生ロボコン常連である複数の大学が合同で開催する新人大会だ。新入生の技術向上を目的として毎年秋に開催されるもので、1年生はこの大会に向けてロボットを製作しながら技術を学ぶ。ルールなどは学生ロボコンに準拠しているが、1年生でも簡単に作れるように小さなロボットで戦うことになっている。ちなみに2013年のエフキューブでは工学院大学のチーム「S^3」が優勝している。

スケジュールとモチベーションの管理が課題

神山さんもエフキューブの大会を経て本入部した。4月に仮入部したときは、そんなに長く続けるつもりがなく、ロボット作りを体験するくらいの軽い気持ちで入ったそうだが、その年の学生ロボコンでデザイン賞を受賞した先輩たちが引退するときのスピーチを聞いて

「こんなに本気で活動できることってほかにないんじゃないか」と感動して本入部を決めた。その情熱が認められたのか、1年後に次期リーダーに指名されたのだが、それが苦労の始まりだった。

エフキューブに代表されるように、段階を追って実力をつけていく教育システムは、すでに大学合同で作られている。だから技術的な面の教育は問題がなかったが、KRPではスケジュールやモチベーションのマネジメントに課題があった。

堀さんは現役時代、毎日、帰宅すると日付が変わっているような日々でつらかったと語る。好きなことなので続けられたが、最終審査の直前はまったく時間がなく、ストレスで体調を崩したそうだ。

神山さんも、リーダーになってからは、設計会議でメンバー同士が喧嘩になったり、期限までにロボットが完成しなかったり、マネジメント面で苦労した。リーダーなので何とかしなくてはいけないと重圧を感じて、勉強時間も睡眠時間も犠牲にしていたという。

リーダーに選ばれる人は責任感が強い。

神山さんはつらいことがあっても「活動を続けると自分で決めたので、その誓いを破らないよう」に、自分を奮い立たせてがんばったという。

堀さんも、時には辞めたいと思う瞬間もあったものの「ここまでやってきて中途半端に投げ出すのは嫌だ」と、我慢したという。

すごい。おそらく外野が想像する以上に彼らは本気で戦っているし、本気だからこそ大会に出場できなかったり負けたりすると悔しいのだ。

だが、2021年大会は期待がもてる。現在のメンバーは1、2年生だけで30人くらいと、人的リソースは足りている。

また、堀さんと神山さんの代では、設計に時間をかけすぎて、製作と試走と改良に十分な時間がかけられなかった。そこで、その次の代からはマネージャーという役職ができて、進行管理を受け持つことになった。これによって班のリーダーの負担が軽くなって、製作に集中できるようになった。

2020年大会は新型コロナウイルス感染症の影響で中止になったし、大学構内にも入れずなかなか活動ができなかったが、そのようなデメリットもプラスに変えた。時間を決めてオンラインで定期的にコミュニケーションをとるようになったことで、逆にメンバー全員がしっかりと話し合う時間がつくれるようになったのだ。オンラインだからこそ、忙しい先輩たちとも話ができて、勉強会などを通して技術継承もできるようになった。

コロナで大会そのものがなくなってしまった3年生は、自分たちが参加できなかった分の情熱を後輩に託すかのように、引退時期が過ぎても活動に参加して、2021年大会にのぞむ2年生をフォローしてくれているそうだ。

4年ぶりの学生ロボコン出場に向けて、2021年のKRPは近年になく充実している。

初優勝の栄冠を目指して

もちろん順風満帆で何の問題もないというわけではない。新たなリーダーとなった一杉昂樹さん（工学部機械工学科）は「もともと立てていた予定よりも大幅に設計の期間が延びている」と認める。一杉さんはリーダーでありつつも設計も担当しているので、他人を責めるわけにはいかない。「ここを乗り越えて大会に絶対出るんだという気持ちでがんばっています」と語る。

一杉さんも、やはり設計にいちばん時間がかかると言う。大会ルールが発表されてから、どういう作戦でいくか、そのためにはどういう機構が必要か、みんなで議論してかなり練り込むからだ。例年と同じく意見の対立があったので、想定の何倍も時間がかかった。

それでも、最初の設計にどれだけ時間をかけるかで性能が決まるから、中途半端に終わらせるわけにはいかない。設計ができてからは、まずはテスト用に一次機体を作って、実際に動かしてから、それを改良した二次機体を作って審査にのぞむ。製作も一筋縄ではいかない。

設計の要件を製作班が満たせないことはないのだろうか。

堀さんによれば、製作のレベルも設計時に織り込むのだそうだ。たとえば、今年は人数が少ないから製作パーツを減らそうとか、技術力が高いから精度の必要な部品を入れようとかはもちろん考慮するし、分からないときは、制御と回路はこの要求をクリアできるかとか、こういう動きのためにはこの性能のセンサーが必要だけど入手できるかとかを、実際に製作を担当する責任者にあらかじめたずねて明確にしておく。どんなによいアイデアでも、製作の精度が追いつかなければ設計段階で排除される。

だからこそ設計には十分に時間をかける。しかし、時間をかけすぎて試走や改良や練習の時間がなくなってしまうのが例年のＫＲＰなので、マネージャーからストップがかかることもある。

そこまでして設計を練り込んでも、大会で優勝できるとは限らない。

２０１７年大会に参加した堀さんによれば、大会前日に試走のために会場に入って初めて分かる環境要件が多いので、当日の調整が大変なのだそうだ。

２０１７年のＫＲＰは「ＡＰＰＡＲＥ！」獲得のために精度にこだわってシビアな設計をしていたのだが、大会で使われる床の精度が想定よりも悪く、試走で思いどおりに動かなかった。前日にそれが分かって、慌てて電話で大学に残っているメンバーに追加の部品を注文して、翌日の本番前にその場で組み上げたそうだ。

準優勝になった東京大学のロボットも、会場の照明が強すぎてセンサーが反応しなくなって、急遽、手動で動かすことになったらしい。事前に配布されたルールだけでは分からないことが本番では起きるので、優勝するためには運を味方につけることも重要というのが堀さんの弁だ。

ＮＨＫ学生ロボコンは、例年は春の開催だが、新型コロナウイルス感染症の影響で２０２１年は秋開催となる。ＫＲＰが４年ぶりに出場して、初優勝の栄冠を勝ち取れるよう祈っている。

人型だけがロボットじゃない

コロナ禍で大会が中止になった２０２０年、ＫＲＰはディスカバリー・ハッカソン（Discovery Hackathon）と呼ばれるものづくりの競技会に出場していた。

ハッカソンとは、ハックとマラソンをかけた造語だ。ディスカバリー・ハッカソンの参加チームは、与えられたテーマに合致するものを２日間かけて作って発表して競い合う。

２０２０年のテーマは〝「あたりまえ」をハックせよ〟だった。ちょうどコロナが流行っていて消毒液が街中に溢れていたので、ＫＲＰは消毒液ボトルの「あたりまえ」に挑んだ。

彼らがその２日間で作ったのは、身に着けて持ち運ぶことができて、手軽に楽しく使える「腕時計型消毒銃」だ。ドアノブや手すりに対して手首を傾けるだけで、自動的に消毒液が発射される。この消毒銃は、スポンサーのダイフク社の名を冠したダイフク賞を受賞した。

消毒銃はロボットとはいえないかもしれないが、ものづくりという根本的な部分は変わらない。今回話を聞いたKRPの3人は「ロボットというよりも、機械そのものが好きだった」と口をそろえる。

ところで、ロボットとはどのようなものなのだろうか。実はロボットには、明確な定義は存在しない。

ロボットという言葉を作ったのはチェコの小説家のカレル・チャペックで、当初は人間に似せて作られた人造人間を意味していた。だからロボットには「人間に似たもの」というイメージと、「人の代わりに働く機械」という二つの相反するイメージが同居している。前者のロボットを体現するのが鉄腕アトムやドラえもんであり、後者のロボットを体現するのが工場にある産業用ロボットだ。

人間の代わりにさまざまな作業を代替させようというだけであれば、ロボットは人型である必要はない。ホンダの開発したロボットASIMOが教えてくれたように、ロボットに二足歩行を取り入れようとすると機構が複雑になって素早く動くことができない。二足歩行はバランスもとりにくくて倒れやすいので、四足歩行のほうがよほど安定する。

映画『ウォーリー』のロボットのようなキャタピラ型の足もいい。柔軟なキャタピラであれば階段ものぼることができる。

ソフトバンクの開発したロボットPepperは、足の代わりに三つの球を回転させて移動する。段差をのぼる必要がなければ、それが最も柔軟に方向転換できる移動方法だからだ。

しかし、足をなくしたPepperにも目玉と口はある。Pepperは基本的に胸のタブレットでコミュニケーションするので人間に似せた顔をつける必要はない。しかし「人間に似たもの」というロボットのイメージを満たすためには、表情をつくるための目と口が必要なのだ。ASIMOやPepperに限らず、シャープのロボホンも、ペット型ロボットのLOVOTも、ソニーのロボット犬AIBOも、ロボットらしさをかたちづくるのは顔の存在だった。

一方で、実用に特化した産業用ロボットや、掃除ロボットルンバや、ロボコンに登場する無骨なロボットたちには、基本的に顔がない。人間とコミュニケーションする必要がなく、黙々と仕事をすることを求められているからだ。

一般人のイメージするロボットと、実用化されているロボットとの間にはかなり大きなギャップが存在する。

とはいえ、どのようなロボットが欲しいかといわれれば、人型ロボットをイメージしてしまう自分がいる。ロボットに最も望まれている実用性は、寂しさを埋めてくれるコミュニケーションなのかもしれない。『燃えろ!!ロボコン』に登場するロボコンやガンツ先生のように。

学生ロボコンにおけるKRPの戦績

	ABUロボコン開催国		競技課題	学生ロボコン戦績	
1	2002	日本	富士山頂を目指せ！	1回戦	
2	2003	タイ	タクローの覇者	ベスト4	技術賞／Panasonic特別賞
3	2004	韓国	織姫と彦星	不出場	
4	2005	中国	万里の長城を照らせ!	予選	
5	2006	マレーシア	ツインタワー・ビルダー	ベスト4	デザイン賞
6	2007	ベトナム	ハロン湾の伝説	不出場	
7	2008	インド	ゴヴィンダ	予選	
8	2009	日本	旅は道づれ 勝利の太鼓を打て	予選	
9	2010	エジプト	ロボ・ファラオ ピラミッドを築け	予選	
10	2011	タイ	ロイ・クラトンの火をともせ!	予選	
11	2012	香港	平安大吉（ペンオンダイガ）	予選	
12	2013	ベトナム	THE GREEN PLANET	予選	
13	2014	インド	A SALUTE TO PARENTHOOD	予選	
14	2015	インドネシア	ROBOMINTON: BADMINTON ROBO-GAME	1回戦	
15	2016	タイ	Clean Energy Recharging the World	予選	
16	2017	日本	The Landing Disc	予選	デザイン賞
17	2018	ベトナム	ネムコン“シャトルコック・スローイング”	不出場	
18	2019	モンゴル	グレート・ウルトゥー	不出場	
19	2020	フィジー	ロボラグビー	中止	
20	2021	中国	投壺 ～トゥフー～	出場	9月8日開催予定

※競技課題はABUロボコン開催国にちなんでいる

●インタビュー

情報学部　システム数理学科　経営情報システム研究室
三木良雄　情報学部長

情報学部長の三木教授の経歴は異色だ。

もともと機械やロボットの制御に興味があって工学部に入学したが、機械系の力学の勉強をしているうちに、量子力学を経由して、半導体の研究室に入ることになった。大学院ではもっと具体的に半導体の研究をしたくなり電子工学を専攻するが、研究のシミュレーションをするためにまずは計算機を作れと言われて計算機の専門家になった。

ところが、計算機の理論・背景はあまり深くないことが分かり、大学に残ることは諦めて、最終的に大手メーカーの研究所に就職した。工学の博士号までは取得したが、自分はあくまでも実学の技術者であるという信念をもっている。

大企業で30年間働いて定年まで残り10年となったとき、今から新しい事業をしてもその成果を自分自身で見ることができないと感じた。もっと機動力をもって新しい仕事をしたくなり、日本のＩＴ産業に感じる危機感とその処方箋を、若い技術者に伝えたくなった。

そこで考えた転身先が大学教授だ。未来を担うエンジニアの卵に教育的なメッセージを発信できて、自分の研究室という小さな組織で機動的に好きなことができる。大学教授になるにはどうしたらいいかと考えていたときに、ちょうどT学院大学が情報学部のなかに新しくシステム数理学科を設置するという話を聞いて、即座に手を挙げた。

こうして、2015年から情報学部の教授として教鞭をとっている。

工学院大学は、三木教授に限らず、企業から大学教授への転身組を意欲的に採用している。工学は企業などの実社会で役立つものなので、意識的に企業の知恵を取り入れているのだ。

三木教授は30年間大手企業で働いてきて、5年前から大学教授となった。企業と大学との間に組織や考え方の差はあるのだろうか。

三木：もともと大学生のときから研究者となることも考えていたので、それほどのギャップは感じません。あえて挙げるなら組織構造です。企業はピラミッド型の組織で、各部ごとに明確な目標予算がありますが、大学の先生は大学から給料をもらっている一人親方の集まりみたいなもので、フラットな組織です。教授も准教授も助教も、それぞれが自分の研究テーマと研究室をもっていて、上下関係はありません。

今回、私は学部長に任命されました。学部長とは、公式には学部の運営に関するすべての責任者ですが、企業や省庁の役職のような権限はなく、任が解ければ普通の教員に戻るわけです。従来は教授会が大学の意思決定機能をもっていましたが、現在は主要な権限は学長に集約されています。

じゃあ何をすればいいのかといえば、個人的には一種のプロデューサー業だと考えています。タレント豊かな先生方がたくさんいるので、その先生方の能力を引き出したり、アピールしたりの広報業務です。産学連携の問い合わせなども、個々の先生に直接行くよりも、学部としてとりまとめてプロデュースしたほうが、より成果が上がるかもしれないと考えています。

なるほど。大学の先生が一人親方というのは納得感のある比喩だ。機動力のある事業（研究）をしたいという三木教授の目的にもたしかにかなっている。では、若い人に向けて教育的メッセージを発信したいという目的のほうは達成されたのだろうか。

三木：私が学生だった35年前の大学と今の大学には明らかな違いがあります。基礎教養を大学の自由意志で決められるようになって、かなり科目編成が自由になっています。一方で、大学生をもっと勉強させろという世間の声があって、今の大学生はかなり勉強していると思います。親世代は、大学生は自由な時間が多いと考えているのですが、今の大学生には暇な時間がそれほどありません。学生にメッセージを伝えるのは難しいですね。彼らは、授業は真面目に受けるのですが、それぞれが求めているものはやはりそれぞれで違います。違う目的をもつ学生をどうやって一緒に扱うかは悩みの種です。私が伝えたいことを熱く語るだけだと、熱がられて敬遠されてしまいます。そこに食いついてくれる学生も数は少ないけれどいるので、それは充実感になりますが、その人たちのためだけの授業ではないので、最多値はどこにあるのかと考えねばなりません。いちばん熱い話についてきてくれる学生たちに逃げられない程度に、ほかの学生にはどのような話をすればよいのか考える日々です。

ITや企業については詳しくても学生の教育については新人なので勉強中というところだろうか。

三木：そもそも教育の成果というのは、本当は30年後、40年後にならないと評価できないものです。入学時の成績と、卒業時の成績を比較して、これだけ教育成果が上がったと考える人もいますが、そんな違いはささいなことです。大学での勉強に興味がない学生でも、4、5年経てば卒業できるのが今の日本の大学です。彼らに対して何らかの教育成果が上がったというなら、彼ら、彼女らが社会で何らかの成果を出す10年後、20年後までを見なければならない。そこが我々の本当のゴールで、流行の技術や知識を教えることはゴールではない。

私が企業で新人採用をしていたときの実感でいえば、短期的に使えるスキル教育を受けた人材の優位性は3年ももたないです。20年後まで世の中の技術変化に追従できるのは、基礎や原理をしっかりと理解している人材です。組織のリーダーとして大きな仕事を任せられるのは、それに加えて、苦労を経験して人間力を充実させた人材です。そのため、授業以外の取り組みで人間力を磨くことが重要です。

三木教授の目には、工学院大学の学生はどのように映っているのだろうか。

三木：本学の学生には、学生プロジェクトや部活動や委員会活動など、課外活動で大学内外の調整役を行っている学生が多く見られます。最初に研究室をもったときに、そういった学生があまりにも多かったので、「そんな面倒な調整が楽しいなんて、きみらはちょっとおかしいぞ」と言ってしまいました。先輩にダメ出しされて、それを修正して完成するのがうれしいなんて、私が会社員時代に欲しかった部下の姿であると感じました。

かなりの褒め言葉である。

大学全体からすると少数であるのかもしれないが、学生プロジェクトの取材でお会いした学生たちからは、たしかに人間力の強さを感じる。苦労を厭わないし、先輩には敬意を払い、後輩には感謝の念をもち、自分たちが先輩から受けた恩を後輩に返していこうという気持ちに溢れている。

ほかの先生に聞いても、工学院大学の学生は真面目だという話をよく聞く。しかし、真面目さの入学試験をしている訳でもなく普通に学校案内と高校や予備校の進学指導の情報に基づいて入学しているはずなのに、この大学に集まる人材の特徴が強調されるのはなぜだろうか。

三木：大手企業にいたので、企業名のブランドで入社してきて、自発的には何もしない人たちも見てきました。組織のブランド価値はその構成員によって維持拡大されなければならないのですが、その理解ができずに、組織ブランドを自身のブランドと勘違いしてしまう現象だと考えられます。大学も、予備校が主催する模擬試験の偏差値だけで評価するような傾向が見られますが、私は学生という身分が活かせる期間にどれだけ自分のブランド価値を高められるかということに目が向いている人材と、そのような人材が集まる組織が重要であると思います。
実際の会社では、勉強が多少苦手でも、組織の潤滑油や糊になれるような人のほうが重宝される。調整役というのは面倒な仕事で、一つの社会をつくるときには絶対にいてほしい人材です。そういう人が技術や知識を身につけていると、会社にとってなくてはならない存在になる。
私は個人的に彼ら、彼女らが大好きですが、企業の採用担当者がきちんと評価してくれるかどうかはまた別問題かもしれません。というのも、これも私が会社で働いていたときの実感ですが、特に理工系では、現場で求めている人材と配属される人材とがミスマッチなことがよくあります。それぞれの現場で欲しい人材像がまったく異なるのに、会社で一括採用して一律に配属するので、現場のニーズとマッチしません。たとえば社内SEと社外SEは正反対の資質が必要なのに、同じような人材が配属される。日本企業は、どんな人材が欲しいかを現場にヒアリングして、現場のニーズに合わせて配属先ごとの採用を考えるべきです。

なるほど。逆に、就職活動をする学生に対して、企業経験者としてのアドバイスはあるだろうか。

三木：学生には「母校を武器にしろ」とよく言っています。こんなに横のつながりを大事にする人たちには社会人になってもあまり出会えないから、母校のつながりを大事にしなさいという意味です。工学院大学は歴史のあるユニークな大学なので、もっと校友同士で力を合わせたほうがいいです。それからテクニック的なことになりますが、ワークライフバランスを気にするのも結構ですが「初年度はワークに徹しろ」ともアドバイスしています。日本社会は最初の印象を大事にするので、最初に「こいつ馬鹿だ」と思われるくらいワークすると、同期の中で上位に立つことができて、そのまま成長のルートに乗れます。初年度の業績はサラリーマンの最初の処遇を決定づけるので、1年努力するだけで5年はもつと教えています。研究室の卒業生の一人が実際にそれで成功しているので間違いありません(笑)。

たいへん実用的なアドバイスをいただいた。三木教授は理工系研究者の論理的な頭脳と組織人としての社交性とを併せ持っているように見えた。アカデミア一筋の研究者と企業からの転身組、その双方から、学生はいい面を学べることだろう。

Project

6

年齢差を超えて商店街の中心メンバーと仲間に

――地域住民と一緒に町を活性化させる3つのプロジェクト

●新宿十二社（じゅうにそう）とは？

工学院大学新宿キャンパスは、新宿駅と東京都庁とのちょうど中間地点にある、地上28階、地下6階建ての高層ビルだ。

新宿駅から地上を歩いて向かうなら、西口から新宿中央公園に向かってまっすぐ伸びる通り沿いにある。新宿キャンパスで立ち止まらずに新宿中央公園を西に通り抜けると、公園沿いに南北に走る通りに出る。この通りの名前を十二社（じゅうにそう）通りという。正式名称は、東京都道新宿副都心十三号線だが、そう呼ぶ人はほとんどいない。

十二社という名前は、このあたりの旧町名からきている。区画整理されて西新宿四丁目となったが、昔は十二社と呼ばれていた。ここにある新宿十二社熊野神社の名前に由来している。

熊野神社が十二社と呼ばれているのは、紀州の熊野三山より十二所権現をうつして祠ったものだからだ。だから日本全国に十二社と呼ばれる神社はいくつもあって、いずれも熊野神社の系列と考えられている。

なぜ新宿十二社の話から始めたかといえば、Ｐｒｏｊｅｃｔ５のインタビューで紹介した情報学部の三木教授と深い関わりがあるからだ。

現実世界のデータ分析を研究テーマとする三木教授は、ＩＴの力を使って、放っておくと消えてしまう社会や事業を救うことに取り組んでいる。その一環で、２０１７年からスタートした新宿区の商店街活性化大学連携事業に参加した。新宿区は歌舞伎町などに代表されるような大規模な商業エリアというイメージが強いが、実は江戸時代から発展してきたそれぞれの町に小規模な商店街が多数存在している。これらの商店街は地域住民の方々には愛され、重要な役割を果たしているが、外部の人々には副都心や大規模商業施設とのコントラストゆえにほとんど知られていない。

三木教授は工学院大学に近く、景勝地や花街としての歴史も有する十二社商店親睦会と連携事業〝CYBER十二社〟を進めることにした。以前に存在した池や滝、そして温泉などをインターネット上で紹介し、西新宿の隠れ家的な観光スポットの宣伝をするものだ。

しかし、学生のボランティア的な参加形態や、そもそも補助金事業なので、行政からの支援がなくなると事業も終了してしまうところに限界があった。

一方で、この事業を通して高層ビル街の駅側に位置する工学院大学と中央公園の西側に位置する十二社が従来は交流があり、今でもベテラン職員は黒いお湯が湧き出す新宿十二社温泉を覚えていること、そして２０１８年の熊野神社の秋祭りにおいて、荷物運びやテント設営に文字どおり学生の若い力が役に立つことを三木教授は実感した。

副都心開発に分断されていた西新宿の活性化には、表面的な宣伝やイベント活動より底辺の人付き合いが不可欠なのだ。

そこで2019年からは団体間の連携や大学との渉外、渉内の調整活動が得意な学生と連携して、オリンピックのプレイベントや神社の秋まつりで裏方を務める一方で、高張提灯やお神輿にも参加し、住民同士の付き合いが真の街づくりには不可欠であることを確信するようになった。

ちょうど西新宿は再開発の時期に入り、駅前のビルから順に建て替えが始まっている。東京都も次世代無線通信プラットフォーム5Gをコアとした西新宿スマートシティプロジェクトを始動している。テクノロジーに裏打ちされた次世代の街づくりが西新宿では始まっている。モータリゼーション華やかな1960年代から70年代に設計された西新宿には、淀橋浄水場の形状を活かした地上1階、地下1階の2重構造の道路網が張り巡らされている。しかし、この3次元形状の自動車道路を横切ってそこに住む人々が行きかうことは想定されていなかった。道があっても使わなければ意味がない。街があっても人々の交流がなければ人々は孤立してしまう。そんな反省と振り返りをもとに地域交流のための活動組織が必要だという声が学生達のなかからも挙がった。

こうして、コロナ禍で人と人との交流が制限される逆風のなか「まち開発プロジェクト-Smart Tech-」がスタートした。工学院大学新宿キャンパスも都心のビル型キャンパスとしてデビューしてから30年を超えようとしている。このキャンパスに込められた〝西新宿全体が私たちのキャンパス〟というコンセプトは、ここにきて初めて学生の手によって実現されようとしている。

まち開発プロジェクト -Smart Tech-

現在Smart Techは、十二社の商店会の人たちと定期的に会合をもち、地域活性化のための提案やイベント実行に向けた打ち合わせを行っている。

9月の新宿十二社熊野神社の例大祭のほかに、毎年手伝っているのが、12月に行われる参加型イベント「キャンドルナイト@新宿中央公園」だ。

キャンドルナイト2020

２０１８年から始まった「キャンドルナイト@新宿中央公園」は、12月のクリスマス前後の２日間、塗り絵で装飾したキャンドルを並べて、会場をデコレートしたり、巨大なキャンドルツリーを作ったりして楽しむイベントだ。約３０００個のキャンドルが新宿中央公園・水の広場に展開される模様は圧巻で、街の風物詩として定着している。イベントを主催する実行委員会は、公園を管轄する公的団体と小田急電鉄株式会社がメインとなっているが、２０２０年は工学院大学や、地元ＩＴ企業も加わり、三木教授を会長とする「Candle Night実行委員会」が設立されて企画を進めた。

当日は、キャンドルホルダーのラッピング装飾のワークショップが開催され、飲み物や軽食を提供するキッチンカーも出店して、来場者との交流も行われる。２０２０年は新型コロナウイルス感染症の影響で現場での交流が難しくなったため、オンラインでも見られるようにライブ配信体制を整えた。会場でもオンラインコンテンツが見られるようにモニタなども準備した。これらは学生から出てきたアイデアだ。


おそらく彼らこそが、前掲のインタビューで三木教授が賞賛していた「組織の潤滑油や糊になれるような人」たちなのだろう。設立時にリーダーを務めた上田夏輝さん（情報学部情報デザイン学科）は学園祭実行委員会、サブリーダーの齊藤大輝さん（工学部電気電子工学科）は自治会に所属していて、三木教授に声をかけられて新宿十二社熊野神社の例大祭に参加したメンバーだ。

上田さんが大学入学時に学園祭実行委員会に入ったのは、友達や人とのつながりをつくりたかったからだという。各サークルとの交渉や他大学との交流を行い、企業とのつながりもある学園祭実行委員会は「裏方が好きな」上田さんにとってぴったりな場所だった。

一方の齊藤さんはもともと人付き合いがそれほど得意ではなく、大学ではしっかり勉強しようと考えていたが、卒業前に振り返ると「人との関わりから学べたことが非常に多く、大学生だからこそできた経験が今の自分をつくった」と感じている。

三木教授のいうように「調整役」は面倒で人の嫌がる仕事だ。それぞれリーダー経験のある2人に、人付き合いのコツや団体運営の秘訣などを聞いてみると、次の回答が返ってきた。

上田さんの場合は「自分の価値観で話をするとぶつかりあいが起きるので、まず相手の価値観が分かるように話を聞いて、それから話を進める」ようにしているそうだ。自分の尺度で他人をはかると摩擦が起きるし、そうなるとメンバーが離れていって団体が崩壊するので、自分の価値観を押しつけないことが重要という。

一方の齊藤さんは「いろんな人の意見を聞いたうえで、最後の決断はリーダーが責任をもって行うこと」を大切にしている。多数決を取ると責任があいまいになるので、最後はリーダーが決める。その代わり決めたぶんの責任をしっかり取るべく、誰よりも全力で取り組むのがリーダーの仕事なのだという。

一見相反するようだが、たぶんケースバイケースでどちらも正しいのだろう。学生のうちにマネジメントの経験ができたことは、2人の将来でもきっとプラスになるはずだ。

●建築学生プロジェクト「WA-K.pro」

「まち開発プロジェクト -Smart Tech-」と同じように、学外のイベントや外部企業と積極的に関わりをもっている学生プロジェクトがある。建築学生プロジェクト「WA-K.pro」（ワークプロ）だ。

彼らはさまざまな活動を行っているが、そのうちの一つに、八王子市の大栗川で行われる交流イベント「大栗川キャンドルリバー」への参加がある。毎年、大栗川沿いを3万個のキャンドルで灯して、住民同士が交流するイベントだ。

WA-K.proは手作りのキャンドル作品を提供してイベントの空間デザインを行うほか、ボランティアとして運営も手伝っていた。

なぜ八王子かといえば、メンバーの多くが八王子キャンパスで学ぶ建築学部の1、2年生で構成されているからだ。その数は2学年合わせておよそ70名。建築学部は1学年がおよそ350名前後なので、1割が入部している計算になる。

なぜそんなに参加メンバーが多いのか、代表の佐久間はるかさん（建築学部建築デザイン学科）と、元幹部の今村 大さん（建築学部建築デザイン学科）に話を聞いてみた。

基本的には誰でも入れるのだが、建築について学ぼうという団体なので、建築学部の学生しか入ってこないのだそうだ。また、大学の授業は座学が中心だけれど、WA-K.proなら自分たちでつくったものを発信できるし、やりたいことを企画できるので建築の勉強に熱心な学生が入部しているとのこと。佐久間さんは、先輩とのつながりもできて、学部や学科の情報収集ができるので入ってよかったと語る。活動場所が主に八王子キャンパスなので、1、2年生が主体となり、3年生になると授業が新宿キャンパスで行われるようになるので引退する。

WA-K.proでは、まず1年生の5月に「歩きテクチャー」と呼ばれる、有名建築物の見学ツアーを行う。

これは、少人数の班に分かれて、班ごとに見学したい建物について事前に調べて、実際に銀座・渋谷・表参道などの街を歩いて建物を見学するものだ。活動を通じて友達もできるので、サークルとしてもよく機能している。

もちろん合宿や旅行もある。京都や大阪の有名建築物を見て回ったり、実際の施工現場を見学したり、林業地の見学に行ったり、学生自らがやりたいと企画を出して実現したものばかりだから、準備にも実行にも熱が入る。

その代わり、その年のメンバー次第でやることが変わるので、ほかの学生プロジェクトのように「これをやっています」と明言できるものが少ない。

WA-K.proが取り組んでいる継続企画の一つが、「K×Kプロジェクト」だ。

K×Kプロジェクトは、工学院大学との共同企画で、八王子キャンパス内にある古くなった倉庫を、自分たちで設計して建て替えるプロジェクトだ。「地元・多摩産材を用いた地産地消のものづくり」をテーマに、多摩産の木材を使用して、10年かけてすべての倉庫を新しくすることを目標に活動している。

学生が中心となって、自分たちで設計した建物を実際に施工するのだから、このうえない実践の学びになる。材料の調達や施工などの面で、複数の企業と連携しながらのプロジェクトになるので、企業との付き合い方を学べるのも魅力だ。学生が学びを深めつつ老朽化した倉庫を建て替えることができるのは、大学にとっても一石二鳥だ。

K×Kプロジェクトで学生が作った倉庫

大学がWA-K.proの協力をあおぐのは、K×Kプロジェクトだけではない。

大学というと、教員や学生といったソフト面ばかりが注目されるが、多数の学生を収容するキャンパスや校舎といったハード面の整備はかなり重要だ。

工学院大学では、キャンパス内の建物の設計を建築学部の教授に依頼したりもしているが、ちょっとしたデザインや内装であれば、WA-K.proに頼むことがある。

たとえば、現在、八王子キャンパス内にある、学生プロジェクトの作品展示スペース「STUDENT SHOW」の空間デザインはWA-K.proが担当したものだ。コンペを実施し、

空間デザインを担当した「STUDENT SHOW」

みんなの居場所「暖炉」

学生が実際に手を動かして完成させた。学生プロジェクトの展示スペースだが、実は展示スペースそのものがWA-K.proの作品にもなっている。デザインは外に面したガラスをあえて覆ってのぞき窓を作り、通りがかった人がついのぞいて見たくなるようなユニークな仕掛けを施している。

外部団体との協働といえば、八王子市社会福祉協議会との連携企画がある。八王子キャンパス近くの空き家を活用して、地域住民の居場所とコミュニティをつくっているのだ。

みんなの居場所「暖炉」と名づけたその家では、地域住民が気軽に立ち寄れるように、ベンチやスロープを作って、子どもが遊べるような遊具も備え付けた。ピザ窯や畑なども作って、居心地のよい空間になるように考えてある。自分たちで設計して、木材を切って作ったベンチに、訪れた人たちが座っている姿を見るのは、学生にとって何よりの喜びになったようだ。

これまで紹介したプロジェクトのようなごりごりのものづくりとは異なる、デザインなどの軽やかなイメージのあるWA-K.proの活動は、学生プロジェクトの幅広さを示している。

●子ども向け科学教室「Science Create Project」

化学（科学）系に分類できる学生プロジェクト、Science Create Project（サイエンス・クリエイト・プロジェクト：ＳＣＰ）も、積極的に学外のイベントに出展して活躍している。

ＳＣＰは、科学に関するさまざまな実験や工作を実演して、子どもたちに理科の楽しみを伝えて、興味をもってもらうことを目的に活動している学生プロジェクトだ。メンバーは八王子キャンパスに通う１、２年生を中心に約60名。八王子環境フェスティバルや、ＮＨＫサイエンススタジアム、あるいはＯＢのいる杉並区役所で科学教室を行うなど、呼ばれたらどこにでも出張して実演を行うフットワークの軽い団体だ。

科学教室で子どもにウケがいいのは、スライムや人工イクラの作成だ。暑い季節であれば、巨大シャボン玉も見栄えがよいし、使い捨てカイロや瞬間冷却材の作成も定番ネタだ。たかが子ども向けの科学実験は、簡単そうに見えるが、意外と準備が大変らしい。小さいイベントでは150人、大きいイベントなら1000人以上が集まるため、それだけの材料を事前に用意してのぞまなければならない。

ＮＨＫサイエンススタジアムのイベントに参加したときは「万華鏡」と「使い捨てカイ

ロ」の二つの演目を用意していたが、「万華鏡」のほうに人気が集まり過ぎて、2日目の途中で用意した材料が尽きてしまった。「万華鏡」を楽しみに来てくれた子どもたちに「ごめんね」と断るのが申し訳なかったそうだ。

ほかのものづくり系の学生プロジェクトが、ハードルの高い困難なチャレンジをしているように見えるのに対し、ＳＣＰは子ども向けということもあってか、いい意味でゆるい印象がある。もちろん彼ら、彼女らが新しい挑戦をしていないわけではない。

毎週1回のミーティングでは、既存の科学実験の改良や改善、あるいは新しい演目の開発にいそしんでいるし、どのようなせりふが観客にウケて、どのようなもののウケが悪かったかを分析して、表現力も磨いている。子ども向けの科学教室といっても、子どもを連れてきたお父さん、お母さんも聞いているし、イベントによっては大学生や社会人も観覧しているる。子どもだましのいいかげんな説明はできない。

SCPの試作風景

ＳＣＰにはどのような人がいるのか、リーダーの上村　葵さん（先進工学部応用化学科）と次期リーダーの白土百合子さん（先進工学部機械理工学科）に聞いてみた。

上村さんは、ＳＣＰに応用化学科の先輩がいて、履修や学校の話をとても丁寧に教えてくれたのが入る決め手になったそうだ。一方の白土さんは、子どもが好きだったことと、科学実験が好きだったことから当然のように入部した。

基本的にどの学生プロジェクトも、いわゆる大学サークルと同様、先輩とのつながりができる、履修や試験などの情報収集ができる、などを目的に入る人が多い。サークルの語源が人の輪であるように、人間関係をつくれることは大きな入部理由になる。

それとは別に、それぞれの活動に対しての興味関心が入部の決め手になる。ＳＣＰの場合は、科学実験が好きか、もしくは子どもが好きかのどちらかであろう。

そう考えていたら、リーダーの上村さんが「私はもともと子どもがそんなに好きではなく、子どもにものを教えるのって難しいなと思っていた」と意外な告白をしてくれた。だが「活動を続けていくうちに、『こう言えば理解してくれるんだ』と発見が積み重なって、今では子どもと話すのも楽しくなった」そうだ。

もともと子どもが好きだったという白土さんは「子どもたちの反応が間近に見られるのが楽しい」と語る。「目の前で何かが変化したときに、目を見開いてすごいと喜んでくれるのがうれしい。子どもの笑顔ってすごいパワーがあるので、疲れていても元気になれます」と顔を輝かせる。

ＳＣＰの活動のメインは、毎年、工学院大学が八王子キャンパスで主催する科学教室だ。ＳＣＰだけではなく、各研究室からもブースが出て、八王子市内とその周辺の小中学校などから2日間で約７５００人が来場する大イベントだ。

実は、上村さんは1年生のときはＳＣＰではなく、先輩のいる研究室のブースを手伝っていたのだという。しかし、研究室の大学院生が子ども相手に難しい言葉を使って説明しているのを見て、普段から子どもと接しているＳＣＰの表現力の高さに気づかされたのだそうだ。

「理系は、好きなものの研究にのめりこんで他人と話す機会が少なくなり、しゃべるのが苦手な人が多い。だから文系のほうがコミュニケーションが上手なイメージがある」と白土さんはいう。理系学生のコミュニケーション能力を伸ばすために、あえて発表やプレゼンテーションなどの課題を多く設定している研究室も少なくない。

だが、これまでに会ってきた学生は、総じてコミュニケーション能力が高かったように思う。おそらく学生プロジェクトや委員会の活動を通して人と関わるなかで磨かれたのだろう。

ＳＣＰをひっぱる2人のリケジョ

リーダーと次期リーダーが2人とも女性なので、ＳＣＰは女子の割合が多いのかと思って聞いてみたら、6対4で男子のほうが多いという回答が返ってきた。工学院大学全体で見ると女子学生の比率は約2割なので、そのなかの団体としては女子が多いといえる。

工学院大学の女子学生比率の2割を、少ないと感じる人と多いと感じる人と両方いるだろう。世界人口の男女比率はほぼ1対1なので、それを基準とすると女子学生2割は少ないように感じられる。一方、工学部の学生や工学系研究者における男女比がおよそ9：1であることを知っている人にとっては、女子学生が2割は多いと感じられるだろう。それぞれの人の住む世界が違うので、意見や感覚は相対的なものにならざるを得ない。

とはいえ「リケジョ」などといって「理系女子」をことさらに区別するような言葉がある時点で、理系に進学を希望する女子が少ないことは想像できる。上村さんの高校では理系クラスの3分の2が男子だった。一方、女子高出身の白土さんによれば、文系と理系の比率はほぼ半々だったそうだ。

たとえば、理系科目が好きで、理系に進学を希望する女子に対しての有形無形の圧力は存在するのかどうか、2人に聞いてみた。

上村さんの場合は、同居する家族がみんな文系だったので、祖母から「なんで理系なの？」「英文学科で英語やったほうがいいんじゃない？」などと面と向かって言われたそうだ。しかし「自分の興味のないことをやるのは苦痛だったし、白衣を着て実験する姿に憧れて」工学院大学に進学したという。

一方、白土さんの場合は、祖父母も両親も親戚もみんな理系で、1歳のときに家族旅行で種子島にロケットの打ち上げを見に行くなど、「理系教育」が行われていた。そして高校進学を控えた中3のときには、物理学者のホーキング博士が書いた『宇宙への秘密の鍵』という本を母が買ってくれたそうだ。その本は小説形式なのに合間合間に宇宙に関するコラムがあって、白土さんはそのコラムが面白くて宇宙関係の仕事をしたいと思うようになったのだという。

実は白土さんは、すでに宇宙関連のコンテストで実績を残している。

JAXAや日本航空宇宙学会などが共催する「第28回衛星設計コンテスト」で、白土さんの所属するチームが設計した海洋プラスチック観測衛星「立鳥（たつとり）」が、文部科学大臣賞と設計大賞を受賞しているのだ。

白土さんは「私一人の力ではありません」と謙遜するが、快挙である。

このコンテストへの挑戦は、大学の研究とは無関係だ。宇宙が好きな大学生向けに「NASA留学」という民間の研修プログラムがあって、それに申し込んだ白土さんが、NASAのジョンソン宇宙センターなどで2週間過ごしたなかで知り合った他大学の学生と、1年くらいかけて設計したものだという。

6人のチームメンバーを見ると、所属がそれぞれ工学院大学のほかに芝浦工業大学、慶應義塾大学、東京大学、早稲田大学、千葉工業大学となっていて、確かに学外のつながりであることを感じさせる。

そんな白土さんが先進工学部機械理工学科を進学先に選んだのは、宇宙のことも含めて幅広く理工系学問を学べそうだと思ったからだという。

彼女によれば「理系だとものづくりや実験などで、研究結果が残るのでやりがいが感じられるし、やればやるほど深く突き詰めていける」のだそうだ。また、文系は語学に堪能なイメージがあるが、理系だって世界中の人と一緒に研究をするし、論文も英語が多いので、実用性に迫られて語学を習得している人が多いのだという。

上村さんも「理工系大学は楽しい」と同意する。「数学の話とか、化学成分とか、理系ネタの話が誰にでもすぐに通じる」のが楽なのだそうだ。

理系ネタで話を広げるのは文系おじさんには難しかったので、具体的な事例は聞かずに終わってしまったが、暇なときに素数しりとりをしていたり、硬くなった肉をマイタケのプロテアーゼで軟らかくしていたり、ビーカーをコップ代わりに水を飲んでいる人がいても驚かないようにしたい（偏見である）。

●インタビュー

建築学部　建築デザイン学科　共生デザイン研究室
筧　淳夫　建築学部長

工学院大学は、２０１１年に日本で初めて建築学部を設立した大学として有名だ。２０１１年まで、日本の大学のどこにも建築学部がなかったというのはなかなか信じられない。それまでは建築を学びたければ工学部の建築学科が一般的だった。

思い切って建築学部を独立させたのは工学院大学が初めてで（同年に近畿大学も開設）、その後に追随する大学が現われて、２０２１年現在では９つの建築学部が日本に存在する。

もともと工学部のなかに建築学科があって、それが建築学部として独立したとはいえ、工学院大学のなかでは建築学部は異色の存在だ。たとえば、工学部の女子学生比率は１割未満だが、建築学部の女子学生比率は約４割と高く、おしゃれで華やかな雰囲気があると聞いた。

そんな建築学部で、２０２１年から学部長を務めているのが、筧（かけひ）淳夫教授だ。

筧：父が大学で建築を教えていたので、その教え子がたまに家に遊びに来ていました。建築が身近にあったので、漠然と都市計画がしたいと考えて、その都市計画に強いといわれていた東京都立大学工学部建築工学科に入りました。入って分かったのは、都立大学が都市計画に強いというのが都市伝説だったことですね。

そんなことを言ったら都立大学に怒られるのではないか。

筧：普通、建築を学びに来る学生は設計者になりたいものですが、私は理屈をこねるのが好きで、自然と設計ではなく建築計画の分野に進みました。

建築計画というのは、建物をつくるときにどのような理屈をつけて建物を設計するかを考える分野です。たとえば３００人が働くオフィスをつくるときに必要な便器の数と、３００人収容できるコンサートホールに必要な便器の数は同じではありません。コンサートホールでは休憩時間に客が一斉にトイレに向かうので、オフィスよりもたくさんの便器が必要になります。ではどれくらい必要なのかを、調査した結果をもとにシミュレーションして、理論的に求めていきます。

建築計画のなかでも、私が専門としているのが病院です。その地域のなかにどれだけの病院、どれだけの病床が必要かなどを、本来は考えてからつくらねばならないのに、昔はアバウトでつくり過ぎてしまっていたことがよくありました。

そんな筧教授はどのようにして工学院大学に来ることになったのだろうか。

筧：都立大学で修士課程卒業時、知り合いの設計事務所の人に「博士課程への進学を考えています」と告げたら「じゃあ、就職は諦めろ」と言われました。私は能天気だから、なんとかなるだろうと思って博士課程を3年やったら、本当に普通の就職先がなかった（笑）。

博士課程を終えたら、研究者になるしか道がない。

博士課程を単位取得満期退学した筧教授は、厚生労働省（当時は厚生省）の研究所で、病院マネジメントにおける施設環境の役割に関する研究者として働き始める。この分野は、戦後から数多くの研究者が全国の大学で研究を進めていた研究テーマで、この研究所に入ることができたのはタイミングがよかった。

以降、組織名は何度か変わるものの、一貫して国の研究所で働いていた筧教授だが、50歳近くになったときに、定年までの残り10年間をどう過ごすかを考え始める。

研究は楽しかったし好きだったが、知識を貯めるだけでなく、社会にフィードバックしていく役割になったほうがいいのではないかと筧教授は思うようになった。

ちょうどそのとき、工学院大学で建築学部をつくるから教授にならないかという話がきた。渡りに船だった。

筧：工学院大学の建築学部の目玉の一つとして「病院建築に力を入れている」という強みが欲しいといわれてきたのですが、病院建築の専門家は私を入れて3人もいました。どんだけ病院建築に力を入れるつもりかと思いました（笑）。

とはいえ、大学教授という職には不満はない。もともと研究所に勤めているときから、病院の院長、看護部長、事務部長といった管理者向けに研修をすることが多かったので、しゃべることも得意だった。

筧：病院の専門家相手にしゃべるのは慣れていますが、学生相手は初めてだったので、最初はゆっくりと、何度も同じことを繰り返しながら、かなり丁寧にしゃべりました。ぼくは業界ではすごく早口で知られているので、そこはかなり意識しました。

教育についても一家言をもたれているのだろうか。

筧：「教育」は一生懸命やっているけれど、何をもって「教育」というかが問題ですね。

たとえば私のもっている専門知識を授業で伝えるのも「教育」ですが、同時に、私が社会とどうつながっていて、どういう活動をしていて、それにどのような意味があるかを見せることも「教育」です。当たり前のことですが、いちばん大切なのは、卒業時に学生が「自分で情報収集して、自分でものを考えて、それを発信できるようになっている」ことです。

私の専門である病院建築は非常に特殊な分野で、卒業後に関連した仕事に就くという卒業生はまずいません。だから、医療施設をつくるときに何をやらなきゃいけないかなんて知識は、彼らには必要ないんです。必要がないので私はほとんど教えません。

気のせいか、隣で聞いている大学職員がはらはらしているようだ。

筧：じゃあ、何を教えるのか。講義の最初の4週間は、私が今までに国内外の病院を訪問したときの写真を見せて、病院という建物をつくるときに、一体何を考えてつくる必要があるのだろうか、を考えさせるようなことをしています。私自身、医学の勉強はしていないので、とにかく病院で実際に働いている人から教えてもらうしかなくて、数多くの現場を回って「見る」ことを心がけてきました。これまでに国内では全国が335地域に分かれている二次医療圏のほぼすべてを、また国外では40カ国ほどを回ってきました。たとえばパプアニューギニアの病院は面会時間が朝、昼、夕方の3回に分かれているんです。これは何を意味するかを学生に考えさせます。分かりますか？　答えは「病院の給食がないから」。面会に来る人が食事を持ってきて患者に食べさせなきゃいけないんです。そういったことが想像できる学生を育てたい。今は知識なんてスマホでいくらでも手に入りますから、授業中も分からないことがあったらいくらでもスマホで調べていいぞと言っています。

確かに、今のスマホは、昔の学生にとっての辞書だ。辞書を引くことを奨励して、スマホで調べることを禁止するのはおかしい。

筧教授はときどき斜に構えたようなことを言うが、意外と情熱家だった。

筧：自分で情報を収集して、自分で考えられるようになって、それをきちんと相手が理解できるように伝えられるようになることが重要です。

たとえば、大学の建築学部で設計を学んで社会に出ても、それだけでは設計の仕事はできない。不動産管理、ビル管理、都市計画と、さまざまな分野がからむので、それぞれの基本をまた調べないといけない。また、施主と話をして、相手の望みを理解する能力も必要です。設計にあたっては、窓一つとってもどういうサッシがあるか、どんな建具があるかも知らないといけない。だから、情報収集の能力がたいへん重要です。収集した情報を使って学生に自分で考えさせることも大切です。今はコロナで対面授業ができなくなってオンライン授業も多くなったのですが、あえて授業の途中でしゃべるのを止めて、学生に考えさせることをよくしています。私がしゃべるのを止めると、オンラインでは静寂が目立つので、学生のほうから反応が返ってくるようになった。授業では一人でしゃべり続けてはいけないということがあらためて分かりました(笑)。

今の学生は小中高で「総合」の時間があり、グループワークをたくさん経験している。自分で調べてまとめて発表することをやってきたものの、大学にくると座学が多くなる。工学院大学はアクティブラーニングを取り入れているが、日本の大学の環境は全体として遅れているのではないかと筧教授は指摘する。

筧：一方通行じゃなくて双方向の授業にしないといけない。だから私も以前はけっこうゼミの学生と一緒に酒を飲みに行っていました。今はコロナでできなくなりました。そうなると、一人暮らしの学生のなかには、まったく人としゃべっていないという子も出てくる。だからオンライン飲み会を開きましたが、そういうのに出たがらない子もいる。どうやって参加させるかにまた頭を使わなきゃいけないですね。

お酒の話になって、これ以上脱線してはいけないと思ったので、むりやり話題を変えて、建築の魅力について聞いてみた。

篁：工学院大学の新宿キャンパスのすぐ近くに東京都庁があります。東京都庁の展望台から見ると、建物がずらーっと並んでいるのが見渡せる。あるときそれを見ていて、この建物一つひとつに全部、図面を描いた人が存在するんだと思って感動しました。すごいパワーだと思ったんです。一つひとつの建物はそんなこと考えずにただつくられただけなのに、何十年も経つとこれだけの都市になる。戦争で一帯が焼野原になったのに75年間でこれだけつくったわけです。一つひとつの仕事はたいしたことがないように見えても、街が出来上がったときの壮大さは建築でしか味わえない楽しみであり、面白みだと思います。

工学系のものづくりの面白さを見てきたが、なかでも建築系の単体でもスケールの大きなものづくりは、さらに大きな魅力を秘めていると感じさせてくれるお話だった。これまで建築にはそれほど興味をもっていなかったが、建築を見る目が変わったような気がする。

Project

7

ミツバチが尊過ぎて、頬ずりしちゃっています！

——はちみつのさまざまな活用を模索する「みつばちプロジェクト」

●工学院大学「みつばちプロジェクト」

工学院大学で、養蜂を行う学生プロジェクト「みつばちプロジェクト」が立ち上がったのは2012年のことである。この年は工学院大学創立125周年で、記念事業として複数の学生プロジェクトが設立された。みつばちプロジェクトのほかに、建築学生プロジェクト「WA-K.pro」や、子ども向け科学教室の「Science Create Project」が、サークル活動から学生プロジェクトへと生まれ変わった。

「みつばちプロジェクト」では、八王子キャンパスに2群、新宿キャンパスに1群の巣箱を設置している。八王子キャンパスの巣箱は1、2年生が、新宿キャンパスの巣箱は3年生が世話をするシステムだ。一つの巣箱には数万匹のミツバチが住みつく。

はちみつは春から夏にかけて、多いときには2週間に1回採蜜する。2019年は計30キログラム近くのはちみつが採れたが、2020年はその半分にも満たなかった。ミツバチが天敵にやられたり、プロジェクトの活動人数が減ってしまったりで、採蜜量はなかなか安定しない。

採取したはちみつはイベントなどで販売したり、配布したりしている。

ところで、はちみつがどうやって作られるか知っているだろうか。たまに、はちみつは花の蜜を集めたものだと勘違いしている人がいるが、花の蜜はショ糖であり、はちみつはブドウ糖と果糖なので分子構造からして異なる。

実は、働きバチは花の蜜を蜜胃に貯えて、酵素の力ではちみつに変化させる。米を日本酒に変化させるようなものだ。それを再び口から吐き出したものがはちみつだ。だから、はちみつはミツバチの体内生成物なのだ。もちろん汚くはない。


それにしても自然の多い八王子キャンパスはともかく、新宿駅の目の前にある新宿キャンパスで何万匹ものミツバチが生息できるのだろうか。都心にそれだけの数のハチが飛んでいて危険ではないのか。

実は、ミツバチの行動範囲は巣から半径約3キロメートル。新宿キャンパスからは、新宿中央公園はもちろん、新宿御苑、代々木公園、明治神宮までがその範囲に入るので、蜜を集めるための樹木はいくらでもある。むしろ都会のほうが、ミツバチの天敵になる害虫が少なく、農薬にやられることも少ないので適しているのだ。

また、一般に刺されたら危険とされているのはスズメバチやアシナガバチなど、幼虫のエサとして虫を獲る狩人蜂だ。ミツバチは幼虫のエサとして花粉や花の蜜を使うので、比較的危険なハチではない。かりに1匹のミツバチに刺されたとしても一度に注入する毒の量が少ないため、蜂毒アレルギーがなければ命に別状はない。

何度も刺すことのできるスズメバチとは対照的に、実は、ミツバチは人を刺すと、針が皮膚にひっかかって抜けなくなり、無理に抜くと腹部がちぎれて死んでしまう。自分の命と引き換えにしてまで人を刺すのは、彼らがよほど危険を感じたときだけだ。

「みつばちプロジェクト」のリーダーの内堀祐香さん（先進工学部環境化学科）はミツバチについて熱く語ってくれたが、ミツバチを好きになったのはプロジェクトに入ってからだという。それまではミツバチについてはほとんど知らなかったそうだ。

「自然環境に興味があって環境化学科を選んだので、無関係というわけではありません。でも『みつばちプロジェクト』に入ったのは、ほかではめったにできない新しいことができるのがいいなと思ったからです」

次期リーダーの樋熊柊介さん（情報学部情報デザイン学科）も次のように教えてくれた。

「大学で新しいことをしたいと思っていましたが、経験者がすでにいたり、ウェイ系（明るく陽気でハイテンション）の人がいたりすると気後れしてしまうので、物静かで雰囲気がよかった団体を選びました」

メンバーのなかには昆虫が大好きという人もいるが、たいていは「なんとなく楽しそう」「やったことがないから面白そう」といった好奇心で入ってくるそうだ。

樋熊さんが「物静か」と形容したように、実際の「みつばちプロジェクト」の活動内容は、外野からは淡々として見える。

ミツバチに限らず、生き物を育てるというのは、地味で単調な作業だ。住む場所を整えて、エサと水を与えて、掃除することの繰り返しだからだ。だが、世話をする人はもちろんそこに喜びと楽しみを見いだしている。

内堀さんは、語りだすと止まらないくらいミツバチに対する愛情をもっている。

「最初はそんなに興味がなかったのですが、育てているうちにかわいいなと感じるようになりました。大学で育てているのはセイヨウミツバチといって、養蜂に適した飼育用の種です。日本にはニホンミツバチという野生種もいるので、機会があれば個人で育ててみたいです」

クールな樋熊さんからもミツバチに対する情が伝わってくる。

「はちみつが採れたり、そのはちみつを使った製品ができたりしたときは達成感がありますね。ミツバチの世話をしていて、数が増えているなとか、卵を産んでいるなとか、成長を見られたときもうれしいです。世話をしないとすぐに数が減ってしまうので、育てがいがあります」

●思いのほかシビアなミツバチ飼育

世話をするとは、具体的にどういうことなのか。

養蜂といっても、ミツバチは放し飼いに近く、勝手に巣箱から出て花粉や花の蜜を集めてくるので、蜜源が十分にあるうちはエサをあげる必要はない。

住む場所を定めて管理するために巣箱は用意するが、巣を作り始めればあとは自由に生きていくので、排泄物の始末なども必要がない。家畜のように、小屋にとじこめているわけではないので、どちらかといえば放牧に近い。

定期的な活動は「内検」と呼ばれる週1回の目視チェックだ。

そこで異常がなく順調に数が増えていれば何もすることはないが、問題が起きていれば対処が必要になる。

機械の製作でも想定外はあるものの、それは設計や製作の過程に原因を求めることができる。だが、放し飼いの生物の場合は、どこでどんなことが起きるか、完璧に予測することは不可能で、予測でき得る問題の対策をしていても想定外の事態が発生してから対処していくほかはない。

たとえばミツバチが病気にかかることがある。病気の原因は、細菌であったり、カビ（真菌）であったり、ウイルスであったりさまざまだが、放っておくと感染が広がって巣箱全体が死に至る。

そのほか、ミツバチの天敵として知られるのが、ダニとスズメバチと農薬と野生動物だ。大学キャンパスの校舎屋上に巣箱を設置して飼育しているので、農薬や野生動物の心配は少ないが、ダニとスズメバチにはよくやられる。

「みつばちプロジェクト」の巣箱の一つも、オオスズメバチにやられて全滅したことがある。体の大きいスズメバチはミツバチの巣箱に侵入して幼虫を食べたり持って帰ったりする。内検のために巣箱を開けたら死骸だらけだったそうだ。

対策としてスズメバチを捕まえる罠をしかけてあるが、襲ってくるスズメバチの数が多過ぎて、100匹以上捕まえても間に合わなかった。


2012年から始まって、2021年で10年目を迎えた「みつばちプロジェクト」だが、初めて越冬に成功したのは5年前のことだ。

それまでは冬の間に全滅してしまうので、春になったら一から新しい群を購入しなければならなかった。今でも、冬の間に多くが死んでしまうので、不足分は春に購入している。2021年は1万2000匹を購入した。

そもそもセイヨウミツバチはアフリカやヨーロッパが起源なので、日本の冬の寒さには耐えられないことが多い。そのうえ、花の咲かない冬は活動が鈍くなるので、スズメバチやダニにもやられやすい。

ミツバチは冬眠するわけではないが、冬の間は巣の中に閉じこもって、動かずに身体を温めあっている。冬の間の食料として、春から夏にかけてせっせと貯めているのがはちみつだ。だが、養蜂においては、せっかく作ったはちみつを人間が採取してしまう。そうすると冬の間のミツバチの食料がなくなるので、代わりの食料として糖液などを巣に入れておくのだ。

このことからも分かるように、養蜂の目的は採蜜だから、自然のままにはしない。

内堀さんと樋熊さんが、日々の内検でどんなことをしているか詳しく教えてくれた。たとえば、ミツバチは春から夏にかけて、冬の食料となるはちみつを一生懸命作るが、巣にはちみつがある程度貯まると「もういいか」とばかりに怠けだす。そこで定期的にはちみつを採取して「このままだと冬を越せないぞ」と、働きバチたちの尻を叩くのだという。

また、ミツバチの集団では、1匹の女王バチだけが産卵をしてどんどん働きバチの数を増やすが、全体の数が増え過ぎると新しい女王バチを産んで、自分は半数ほどのハチを引き連れて、外に新しい巣を作るため出ていってしまう。これを「分蜂」という。

分蜂を防ぐために、養蜂では、新しい女王バチの飼育場となる「王台」を見つけ次第取り去ってしまう。新しい女王バチが生まれなければ、従来の女王バチが出ていくことはないからだ。

ミツバチはかわいいけれども、養蜂はなかなかシビアなのだ。かわいそうだからといってそのままにしておくと、女王バチが分蜂して別の場所で巣を作ることになる。もしそれが近隣の住宅の庭などであれば、クレームになるかもしれない。

ちなみに働きバチはすべてメスである。

野性の状態では全体の1割を占める雄バチは花の蜜や花粉を集めることはなく、ほかの巣の女王バチと交尾するためだけに存在する。そして交尾したあとはすぐに死んでしまう。女王バチは一生に一度だけ結婚飛行を行い、複数の雄バチと交尾して一生分の精子を貯える。女王バチと交尾できなかった雄バチは、冬がくる前にまとめて巣から追放される。越冬のための貴重な食料（はちみつ）を、働かない雄バチのために使うことはできないからだ。

養蜂では、受精してある女王バチを買うので、不要な雄バチは見つけ次第殺す。女王バチは、メスの働きバチはかたちの整った巣に、雄バチはかたちの歪な巣に産み分けるのだそうだ。そこであえて巣のかたちを変えて雄バチ枠を作ることで、効率良く除去することができる。

「命をつぶすというつらい選択をけっこうしています」と樋熊さんは語る。

人が殺さなくても、ミツバチ同士で殺し合うこともある。

外に出ていって交尾をした女王バチは、巣に帰ってくるとその後はほとんど外に出ないままひたすら産卵をする生活を送る。多いときは1日に1500~2000個の卵を産む。1分間に2個の速度だ。

この女王バチであるが、寿命は3年程度なので、2年も経つと産卵の量が減ってくる。そうなると、群れを栄えさせるためには新しい女王バチが必要だと考える働きバチが、「王台」を作って新女王バチを育て始める。女王バチは、生まれたときはほかの働きバチと同じだが、若い働きバチが作る特別食のローヤルゼリーをずっと与えられて育つことで女王バチになる。

「みつばちプロジェクト」の内検

ミツバチには、一つの巣に女王バチは1匹のみという鉄のルールがあるので、新しい女王バチが育つと、古い女王バチはほかのハチを引き連れて出ていく。
しかし、卵を産まなくなった古い女王バチの場合は、種の存続というハチの群れの目的に合致しなくなるので、働きバチによって殺されてしまうのだ。

「Science Create Project」とのコラボレーション

「みつばちプロジェクト」の本来の活動目的は、ミツバチの飼育を通して得た知見を広めて、養蜂に関する理解を深めてもらうことだ。

たとえば、受粉を助けるミツバチは植物の生育に欠かせないもので、ミツバチがこの世から消えると、スーパーに並ぶ野菜や果物の7割がなくなってしまうともいわれている。

また、1匹の働きバチがその生涯に作ることのできるはちみつの量はティースプーン4分の1程度だ。寿命が3カ月ほどしかないからだ。だからかつては神の食べ物と呼ばれるほど貴重なものだった。

一般の人はミツバチやはちみつについてそれほどよく知らないので、「みつばちプロジェクト」は毎年、環境省が主催するエコライフ・フェアに出展して、活動紹介を行っている。もちろん、学園祭や新入生歓迎会でも、ミツバチと養蜂の知識を広めることは欠かさない。


さらにミツバチと養蜂のことを一般の方に知ってもらうにはどうすればよいかと考えて浮かんだアイデアが、はちみつを使った商品開発だ。開発にあたっては化学に詳しい「Science Create Project」と共同で取り組んだ。

まず2018年に開発されたのが、はちみつ入りのオリジナル入浴料「KUTE Honey In The Bath」だ。

翌2019年には、第2弾としてはちみつ入りのハンドクリームを開発した。ローヤルゼリーエキスやシアバター、ホホバオイルなどを配合してあり、はちみつの香りが濃厚でぜいたくな気分になれる一品だ。

2020年には、東京プリンスホテルとのコラボレーションで、「KUTE Honey」の入浴料とハンドクリームをアメニティとして付けた宿泊プラン「KUTE Honey Stay」が一般販売された。

さらに2021年には、東京プリンスホテルとのコラボ企画第2弾を目指して化学反応で色が変わるはちみつ入りドリンクを準備している。入浴料やハンドクリームと同様、「Science Create Project」のメンバーの貢献が大きい。

「KUTE Honey」の入浴料とハンドクリーム

企業と提携しての商品開発は、品質検査や試作品の開発など、学生主導で行うのは大変なことが多いが、「みつばちプロジェクト」と「Science Create Project」のメンバーは、与えられた機会を最大限に楽しみつつ、一度しかない学生生活を謳歌しているように見える。

●インタビュー

先進工学部　生命化学科　生物医化学研究室
小山文隆　先進工学部長

工学院大学には先進工学部という学部がある。あまり聞きなれない学部名だ。調べてみると、2021年現在、4つの理工系大学にだけ設置されている新しい学部らしい。日本工業大学、千葉工業大学、東京理科大学、そして工学院大学だ。

もともと、2005年までの工学院大学には工学部しかなかった。しかし、工学部の抱える学問領域の拡大に合わせて、2006年に情報学部とグローバルエンジニアリング学部、2011年に建築学部を新たにつくり、2015年の先進工学部開設に伴い、グローバルエンジニアリング学部を集約した。

先進工学部の意義はどのようなところにあるのか、先進工学部長の小山（おやま）文隆教授に聞いてきた。

小山：先進工学というのは、英語でいえば、アドバンスドエンジニアリング（Advanced

Engineering）です。先進の意味は、一歩前へ、さらにその先へ、です。つまり、技術の実用化を目指す人材を育てる工学部を母体として、一歩先の技術を生みだす人材を育てる学部であると考えてください。

本学部では、工学部では吸収しきれない生命、環境、宇宙、航空、医療など、そういったヘテロジニアス（異種・異質）なものを吸収した学部とご理解いただければよいと思います。

工学院大学は、開学以来ずっと工学部一筋できたが、２００６年に情報学部、２０１１年に建築学部、そして２０１５年に先進工学部と、21世紀になってから学部学科の再編が相次いでいる。なぜ再編が必要なのだろうか。

小山：「２０１８年問題」というものがありました。日本の18歳人口が２０１８年から減少して、大学進学者数も減り、その結果として、競争力の弱い大学が淘汰されるという予想です。２０１４年頃によく話題になっていて、工学院大学もそれに対応するため、受験生のニーズに応えて学部や学科を再編しました。

幸いなことに、２０１８年が過ぎてもまだ18歳人口は激減していませんが、いずれ右肩下がりになるのは間違いありません。今後も、時代と受験生のニーズに合わせて新たな再編をする必要がありますね。

小山教授はのっけから現実的な言葉を口にした。冷静に現状を把握し、対応しようとしているという意味では、さすが学部長というべきなのかもしれない。国立大学や私立大学、国立研究所、民間研究所など、多様な研究機関で働いてきた経験が、幅の広い視野を養ったのだろうか。

小山：今はどの研究機関も健全な競争と評価があります。工学院大学にくる前にいた理化学研究所は、毎年年末に一年の研究成果、組織への貢献に基づいた人事評価がありました。
私立大学は、自力で生き残らなければなりません。私たちは、人材育成と研究成果で実績を残すことで、受験生とその親御さん、社会から信頼され、結果的に大学を存続させることができます。本学での人材育成、就職実績が授業料に見合うものであれば、学生やその保護者の期待と信頼に応えられます。我々は、その信頼に応えられるよう、常に緊張感、危機感をもって人材育成と研究成果を考えています。

では、工学院大学としては、どのような対策を考えているのだろうか。

小山：まずは就職率です。工学院大学は就職率が非常に高く、２０１８年度は就職率が94・４％でした。就職内定率でいえば97・７％です。

就職内定率というのは就職希望者に対する就職内定者の割合で、就職率というのは、社会に出る卒業生に対する就職内定者の割合だ。母数の少ない就職内定率のほうが数字をよく見せることができるので、文部科学省や厚生労働省は就職内定率の数字を使っている。

工学院大学のすごいところは就職率そのものが高いところだ。つまり卒業生のほぼ全員が就職を希望して内定を勝ち取っている。保護者から見れば、これほど安心できる大学はないだろう。

小山：私は、本学にお世話になってから14年目ですが、赴任初期には就職率の高さにびっくりしました。どうしてそんなに就職に強いのかと研究室の学生に聞いてみたら「就職内定者は、立派な人格になっているからですよ」と教わりました。確かに、本学の学生は一見地味ですが、芯がしっかりしていて、就職内定がもらえる頃には立派な人格になっています。

さらに就職活動を通じて、学生が育っていく面もあります。学生は、基本的には消費者なんです。我々の授業を消費していますので。しかし、就職活動をするときには、会社に自分を高く買ってもらう必要があります。この意識変革が大事であろうと思います。

もちろん、なかなか内定がもらえない学生もいます。以前にいた学生ですが、3月の卒業式の時点で内定がゼロでした。でも諦めることなく就職活動を続け、その後4社に内定したケースもありました。現在は、卒業式を欠席して最終面接にのぞんだバイオ企業で元気に仕事をしています。うちの学生は根性があるんです。

大学の先生が、そこまで学生のことを気にかけているとは思わなかった。あるいは、それこそが工学院大学の特徴なのかもしれない。

小山：あとは大学の社会的な評価を高めることですね。THE世界大学ランキングは、学部から出る研究論文とかで評価が定まって、それが大学の真の実力につながっていきます。

確かに、多くの学生は、大学をその実質だけではなく、ブランドでも選んでいる。民間企業が調査する、いわゆる大学のブランドイメージ調査を見ると、その順位はほぼ偏差値順に並んでいる。

つまり、イメージのよい大学であればあるほど、学力の高い学生が集まる傾向がある。ニワトリが先かタマゴが先かの議論のように、学力の高い学生が集まるからブランドイメージが高まるという人もいるだろうが、両者が補完し合っているのが実情だ。

残念ながら工学院大学は、2021年現在はまだ大学のブランドイメージ調査で上位とはいえない。ランキングの上位に並ぶのは、そのほとんどが文系と理系の学問を幅広く研究する「総合大学」だ。

取材で出会ったSCPに所属する九州出身の学生、白土百合子さんはこう言っていた。

「工学院大学はすごくいい大学なのに、九州ではほとんど知られていません。九州の人は地元志向が強くて、九州工業大学とか福岡工業大学なら知っているのに、工学院大学は知らない。いい大学なのに誰も知らないから残念な気持ちになります」

現在、日本には大学が約780校存在する。

イギリスのタイムズ・ハイヤー・エデュケーションが発表する「THE世界大学ランキング日本版2021」における順位では、工学院大学は121位~130位に位置する。同じランクに位置している国公立は宮崎大学や琉球大学で、私立では成蹊大学や帝京大学がある。

一方、ベネッセによれば2022年度入試対応の工学院大学の偏差値は60~64となっている。首都圏でいえばMARCH(明治大学、青山学院大学、立教大学、中央大学、法政大学）、関西でいえば関関同立（関西大学、関西学院大学、同志社大学、立命館大学）に匹敵するレベルだ。

伊藤学長は「うちの学生はＭＡＲＣＨの学生にまったく引けを取らないくらいに就職の結果を出している。それだけのものを４年間で身につけさせている。それなのに大学受験ではイメージやランキングで低く見られている」と悔しさをにじませていた。

たしかにＭＡＲＣＨや関関同立などの言葉が生まれてから何十年も経つが、一度ブランディングされたイメージはなかなか変わらず、ブランド校は得をしている面がある。

小山：本学の学生は、実力があるのに、自分を必要以上に高く見せようとしません。１００の力をもっていても80の力しかないといいますね。自分を過大評価しない傾向があり、好感がもてます。就活でも、「ぼくが自分で決めた会社なので、就職します。それで大丈夫です」ときっぱり言います。このように、本学学生は、キチンと自己評価ができており、堅実で真面目な人が多いです。

小山教授の話はだんだんと熱を帯びてきた。

小山：ぼくの指導学生で、かなり優秀な女子学生がいて、この人なら研究者になれると思っていたのですが、彼女は修士課程のあとは就職を考えていたんです。それとなく博士課程への進学を勧めてみたら「でも先生、工学院大学で英文の研究論文を出せるんですか？」と言われました。たぶん、不安だったんでしょうね。本学は博士号を授与できる大学ですが、当時は博士課程の後期まで進む人はとても少ない状態でした。大学院化学系の博士の学位請求資格は、インパクトファクター付きの雑誌に筆頭論文２報が受理されていることが条件です。

小山教授は、工学院大学の大学院生でもちゃんとした学術論文を出せるということを示すために、その大学院生の修士2年目に一緒に論文を作成し、学術雑誌に投稿した。雑誌の編集者、査読者からのコメントに対しても一緒に考え、論文を改訂した。その結果、論文は受理され、その学生もこれまで味わったことがない達成感を感じ、さらにやる気になって、２社からもらっていた内定を辞退して、博士課程に進学した。日本学術振興会特別研究員ＤＣ２にも採用されて、修士、博士課程の5年間で４報の筆頭論文を出すことができたそうだ。

小山：一人だけの話だと、あまり説得力がないので、もう一人の大学院生（後輩）の話もさせてください。その方も女性で、修士で筆頭の英文研究論文を４報出し、日本学術振興会特別研究員ＤＣ１に採用されました。博士課程ではさらに２報の論文を出しました。そして、２０２０年度に、第11回日本学術振興会育志賞を受賞しました。この賞は、将来、我が国の学術研究の発展に寄与することが期待される優秀な大学院博士課程学生を顕彰することで、その勉学および研究意欲を高め、若手研究者の養成を図ることを目的としています。この年は18人選ばれたのですが、彼女以外はほぼ国立大学の学生でした。

このように、工学院大学のキャンパスで学んだ学生が、キチンと研究し、その成果を英文学術論文にまとめ、国際学術雑誌に掲載される。そのことを積み重ねてゆけば、日本学術振興会の特別研究員に採用され、育志賞も受賞できることが示せたと思います。後輩にとっては、同じキャンパスで勉強、研究した先輩のことなので、励みになりますよね。このように、やればできるというのを見せることが大切なんです。

小山教授が工学院大学にきた理由はなんだったのだろうか。

小山：やっぱり独立して自分の研究を進めたかったからですね。研究員として誰かの下にいるときはやはり独立性が低いです。それから、研究を通した教育です。私は、「真の教育は、研究を通してなされる」と考えています。それで、卒論生、大学院生と同じ目標に向かって研究し、それを通して、彼らが、自分の手で、小さいながらも世界初の発見をし、それを積み重ねることで英文研究論文にまとめ、国際学術雑誌に受理され、客観的にも評価される。私は、本学で、それを積み重ねてきました。とにかくぼくは研究が好きなんです。あと4年で工学院大学を定年退職になるので、それまではさらに良い成果を卒論生、大学院生と一緒に出せるようにがんばります。その後は、アメリカにいる知人の研究者のところでポスドクとして研究させてもらおうとか、私のところで学位を取った人たちが独立してラボをもったらそこで働かせてもらおうとか、考えています（笑）。

研究と大学院生の教育について目を輝かせて語る小山教授には、学部生の教育について語るところが多かったほかの教授とは異なる情熱を感じた。何歳になっても自分の研究に対する興味や関心を失わない好奇心はとてもすばらしいものだと思う。

みんなちがって、みんないい。この多様性こそが大学という組織の自由さを象徴している。

おわりに

今回、学生23人と、大学教授7人の合計30人に会って話を聞いた。

話を聞いている時間の半分くらいは「へー、すごいですね」と相槌を打っていただけだ。あとの半分は「×××ですか?」と質問をしていた。

ふざけていたわけではない。話が面白かったので、どんどん続きを聞きたかったのだ。年を取ると「学び」が「娯楽」になるので、自分の知らないことを知れるのは楽しい。

学生の話のなかには、優等生過ぎる発言のように感じられるものがあるかもしれないが、それもまた面白かった。実際、優等生なのだろうし、自分の倍以上の年齢のおじさんやおばさんに囲まれて、かしこまらないほうが不思議である。

大人の前では大人のふりができるくらいに大人なのだ。文系と理系の違いを感じないどころか、学生と社会人の違いもあまり感じられなかった。

少なくとも自分が学生だった頃に比べれば、日本の学生のレベルは上がっていると思う。とある取材で、同席していた大学職員の松本さんが「私はただの社会人なので、がんばっている学生の皆さんがまぶしく感じられます」と吐露したが、同感だ。

本書のなかにはしばしば矛盾に感じられるところがあるかもしれない。

たとえば、入試偏差値やブランド力にとらわれずに大学の実質を見ることを推奨する一方で、入試偏差値やブランド力を上げる取り組みについて語っている箇所がある。

学生や研究者として男女に区別はないと説く一方で、女性教授やリケジョを特別な存在であるかのように記述している部分もある。

どちらも間違いではない。

大学の本質が教育にあるのだとすればやる気のある学生は誰でも受け入れるだろうが、研究をするのであれば研究能力の高い学生に集まってほしいと思うだろう。男女の能力に差がなくても、現状としてさまざまな分野で男女比が偏っているのも事実だ。

この社会はまだ何らかの理想に向けての過渡期にある。本書の混乱を、現状をありのままにとらえた記録として受け取っていただければ幸いだ。

最後に、謝辞を述べたい。

自治会、学園祭実行委員会と並ぶ三部会の一つである学科連合委員会の福井寿紀さん（大学院情報学専攻）には、準備段階でいろいろお話を聞かせていただいた。文系と理系の区別を感じないと最初に教えてくれたのは福井さんだった。

なお、学生たちへの取材時期は主に2021年1～3月である。

大学職員の佐野勇一郎さん、松本早貴さん、池田　優さん、樋口知美さん、徳永正明さん、山本貴皓さん、松嶋めぐみさん、行田正三さん、藤井絢子さんにもお世話になった。最初の企画を一緒に考えてくれた望月 肇さんにも感謝したい。

編集者の宮木麻衣さん、小杉聡子さんのお二人も、私に見えないところで苦労されたと思う。それからもちろん、本書に登場して話を聞かせていただいた方々、そして、名前は挙げられないけれども、この本のために動いてくださった方々。皆さんの協力なしにはこの本が世に出ることはなかった。ありがとうございます。

参考文献

後藤公司『ソーラーカー』日刊工業新聞社
斎藤 敬『ソーラーパワーが翔んだ―第1回ワールド・ソーラーカーレース』文藝春秋
中部 博『光の国のグランプリ―ワールド・ソーラー・チャレンジ』集英社
東海大学チャレンジセンター（編）『世界最速のソーラーカー――オーストラリア大陸縦断3000kmの挑戦』東海教育研究所
野崎博路『徹底カラー図解 新版 自動車のしくみ』マイナビ出版
日本モデルロケット協会（編）『新版 手作りロケット入門：モデルロケットの基礎から製作ソフト「RockSim」の解説まで』誠文堂新光社
あさりよしとお『まんがサイエンスⅡ　ロケットの作り方おしえます』学研プラス
あさりよしとお『宇宙へ行きたくて液体燃料ロケットをDIYしてみた　実録なつのロケット団』学研プラス
植松 努『NASAより宇宙に近い町工場』ディスカヴァー・トゥエンティワン
的川泰宣『ニッポン宇宙開発秘史―元祖鳥人間から民間ロケットへ』NHK出版
読売テレビ（編）『鳥人間の本―ODE TO ALL THE BIRDMEN』東京書籍
萱原正嗣『闘え！高専ロボコン：ロボットにかける青春』ベストセラーズ
銀座ミツバチプロジェクト（編）『銀座・ひとと花とミツバチと』オンブック
松本文男『養蜂大全』誠文堂新光社
クレア・プレストン『ミツバチと文明：宗教、芸術から科学、政治まで 文化を形づくった偉大な昆虫の物語』草思社
ローワン・ジェイコブセン『ハチはなぜ大量死したのか』文藝春秋
尾嶋好美『おうちで楽しむ科学実験図鑑』SBクリエイティブ
工学院大学企画部（編）『おもしろ理科実験集』シーエムシー
茅原 健『工手学校―旧幕臣たちの技術者教育』中央公論新社
NICHE（編）『工手学校―日本の近代建築を支えた建築家の系譜―工学院大学』彰国社
「工学院大学 コーキシン研究室」編集委員会（編著）『工学院大学―コーキシン研究室』ダイヤモンド社
工学院大学学園百二十五年史編纂委員会（編）『工学院大学学園百二十五年史―工手学校から受け継ぐ実学教育の伝統』中央公論新社
隠岐さや香『文系と理系はなぜ分かれたのか』星海社
毎日新聞「幻の科学技術立国」取材班『誰が科学を殺すのか―科学技術立国「崩壊」の衝撃』毎日新聞出版

参考映像

BSテレ東「地平線の彼方へ！―激走3000キロ2019ブリヂストン・ワールドソーラーチャレンジ」
NHK「超絶 凄ワザ！『オーストラリア大冒険SP』」
自動車技術会「学生フォーミュラ日本大会2019 ～ クルマづくりに青春を捧げた若者たち ～」

【著者プロフィール】

田島隆雄（たじま たかお）

1975年、東京都生まれ。

早稲田大学第一文学部卒業。

編集プロダクション勤務を経て、フリーライターに。企業や教育機関などの取材を行い、これまでに100冊以上の書籍のライティングを手掛けている。

著書に『情熱のアフリカ大陸 サラヤ「消毒剤普及プロジェクト」の全記録』『読者の心をつかむWEB小説ヒットの方程式』などがある。

モノづくりは未来を拓く
学生プロジェクト奮闘記

2021年9月16日第1刷発行

著　者　田島隆雄
監　修　工学院大学
発行人　久保田貴幸

発行元　株式会社 幻冬舎メディアコンサルティング
〒151-0051　東京都渋谷区千駄ヶ谷4-9-7
電話　03-5411-6440（編集）

発売元　株式会社 幻冬舎
〒151-0051　東京都渋谷区千駄ヶ谷4-9-7
電話　03-5411-6222（営業）

印刷・製本　瞬報社写真印刷株式会社
装　丁　株式会社 幻冬舎デザインプロ

検印廃止

Printed in Japan
ISBN 978-4-344-93238-8 C0037
幻冬舎メディアコンサルティング HP
http://www.gentosha-mc.com/